有価証券法入門

——対話で学ぶ——

前　田　　庸著

有斐閣ブックス

はしがき

本書は，法務総合研究所の発行する雑誌『研修』の420号から441号まで（1983年6月号から1985年3月号まで）に掲載した「有価証券法」に若干の加筆・訂正をして1冊にまとめたものである。

本書では，教師Tと2人の学生MおよびNとの対話形式で有価証券法を説明している。Mは優等生で，従来の学説・判例の枠内で物事を考えるタイプ，Nは従来の学説・判例にこだわらないで自分なりに考えて意見や疑問を表明するタイプ，というように想定して，対話を進めてみた。そして，これまで通説として一般的に受け入れられている考え方についても，それを鵜呑みにすることなく，よく消化した上で，これを受け入れるか，それとも別の考え方を採るかを判断するという思考過程を明らかにしようと努めてみた。それによって，普通の説明形式の叙述によれば，ややもすれば見逃されがちな問題点を明らかにし，有価証券法に関する基本的な考え方を浮彫りすることができるのではないか，と考えたからである。

このような対話形式による有価証券法全体についての叙述は，これまで例がないので，前述のような意図が活かされているかどうか不安がないでもないが，本書が有価証券法の理解に少しでもお役に立てば幸いである。また，本書では，叙述内容の小さなまとまりごとに通し番号を付けて，相互に関連する部分についての検索や整理の便宜を図っている。

なお，本書はもっぱら初心者向きのものであり，手形法と小切手法についてのより進んだ理解を欲する方には，前田　庸著『手形法・小切手法入門』(有斐閣）をお読みいただければと考えている。

本書を刊行するに当たって，雑誌『研修』の編集室の方々および有斐閣書籍編集部の前橋康雄氏のご尽力に心から感謝の意を表したい。

昭和60年4月

前　田　　庸

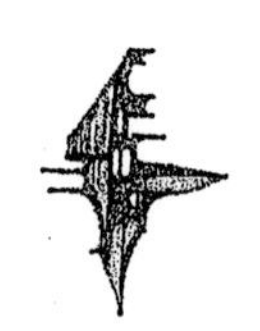

はしがき

目　次

図　版

引用文献略語 (引用順)

我妻　我妻　栄・新訂債権総論

鈴木　鈴木竹雄・手形法・小切手法

香川　香川達夫・刑法講義各論

団藤　団藤重光・刑法綱要各論

藤木　藤木英雄・刑法各論

前田　前田　庸・手形法・小切手法入門

石井=鴻　石井照久=鴻　常夫・手形法・小切手法

藤木・注釈　藤木英雄・注釈刑法(4)

鈴木「変造」　鈴木竹雄「手形の変造」新商法演習(3)(同・商法研究Ⅰ所収)

四宮　四宮和夫・信託法〔増補版〕

三ケ月ほか　三ケ月章ほか・条解会社更生法上巻

第1章　有価証券とはなにか

★*1*　T　はじめは，原則として特定の有価証券に限定しないで有価証券全般について取り扱いたいと思います。有価証券法の一般的な観念を一応頭に入れていただきたいからです。個々の有価証券についての知識が十分でない初心者には，ごたごたしてわかりにくい点もあるかもしれませんが，その点は気にしないで結構です。その後は個々の有価証券について，ことに手形・小切手について，詳しく取り上げますから，その段階で理解を深めて下さい。また，それぞれの有価証券の実物がどのようなものかについても，その段階で紹介したいと思います。

1　有価証券とは

(1)　有価証券における権利と証券との結合

T　私たちは有価証券という言葉を使っていますが，具体的にどのようなものを有価証券といいますか。

M　手形，小切手，株券，公社債券などを有価証券といっております。

T　そうですね。そのほかに貨物引換証，船荷証券，倉庫証券などもそうですね。それでは，預金証書や借用証書はどうですか。

N　それは有価証券には含まれないと思います。

T　そうだとすると，手形，小切手などは有価証券に含まれるのに，預金証書や借用証書は有価証券に含まれないということですけれども，それはどのような違いがあるからですか。

M　預金証書や借用証書はたんに証拠証券にすぎないという点が違います。

T　証拠証券というのはどういうものですか。

M　それは，預金証書についてみると，預金者がだれか，預金額がいくらかを証明するのに役立つ書面ということです。

T　それでは有価証券は証拠証券ではありませんか。

N　有価証券というのは，たんなる証拠証券以上のものではないですか。

T　「証拠証券以上のもの」というところが問題ですね。それはどういうことですか。

M　有価証券においては，権利が証券に結びついている点で，たんなる証拠証券と区別されます。

T　そうですね。有価証券と証拠証券との区別は，有価証券においては権利が証券に結合している――別のいい方をすれば，有価証券では，権利が証券に表章されている，あるいは権利が証券に化体しているということもありますが，いずれも同じことをあらわしています――点で，そうでない，たんなる証拠証券と区別されます。もちろん，証券に結合している権利の内容は有価証券の種類によって異なります。M君，それぞれの有価証券がどういう権利を結合しているか，説明して下さい。

M　はい。手形，小切手，公社債券は金銭債権を表章しています。たとえば，約束手形の場合には手形所持人は振出人や裏書人に対して手形金の支払を請求する権利を有することになります。貨物引換証等は運送品等の引渡請求権を表章しています。株券は……。

T　株券は，株主の地位――これを株式といいます――を表章しておりますが，株主の地位には利益配当請求権や株主総会における議決権などもろもろの権利――いわゆる自益権および共益権の双方を含みます――が伴いますから，株券にはそれらの発行会社に対する権利が結合していることになります。

★*2*　(2)　有価証券という言葉の意味

T　ところで，有価証券という言葉は，それ自体としてはどういう意味になりますか。

N　有価証券とは価値のある証券ということです。

T　そうですね。有価証券というのは，物理的にはたんなる紙切れですが，それがどうして価値があるのですかね。先ほど議論したことと関連させて考えてみて下さい。

N　わかりました。有価証券には権利が結合しておりますが，その権利が経済的価値を持つので，それを結合している有価証券も価値を持つことになるのだと思います。

T　その通りです。

★*3*　(3)　有価証券における権利行使の方法――紛失した場合――

N　質問させて下さい。有価証券の場合には権利が証券に結合しているのに対して，証拠証券の場合には権利が証券に結合しているわけではなくて証券が権利の存在を立証する資料にすぎないという点で，両者の理論的な違いはよくわかったのですが，具体的には両者の間にどのような違いがあるのでしょうか。

T　それは良い質問ですね。M君，この問題はどうですか。

M　有価証券の場合には，権利と証券とが結合していますから，権利を行使するためには必ず証券を呈示しなければならないのに対して，証拠証券の場合にはそうではない点です。

N　しかし，証拠証券の場合でも，権利行使には証券が必要ではありませんか。たとえば預金を払い戻すには預金証書の呈示が求められますが……。

T　N君のいうことももっともですが，法律的にはM君のいう通りです。預金証書や預金通帳の場合には，紛失しても，別の方法で預金者であることが立証できれば，権利を行使できます。私も普通預金通帳を無くしたことがありますが，そのことを銀行に申し出ましたら，紛失届を出させられ，1か月間払戻を止められましたが，その後で通帳を再発行してくれて，払戻を認めてくれました。N君，これはどういうことを意味すると思いますか。

N　それは，1か月間だれもその通帳で預金の払戻を請求する人があらわれなければ，紛失届を出した人を預金者と認めるということだと思います。

T　その通りですね。ところが有価証券を無くした場合にはそういうわけにはいきません。その場合には，喪失者は，喪失した証券につき，公示催告手続によって除権判決というものを受けなければ，権利を行使できないのです。これについてはまた後で詳しく取り上げますが（⇨★ ***122*** 以下），除権判決というのはひと口でいうと，有価証券から権利を除く効力を持つ判決で，この判決により証券と権利との結合が解かれて，それまで有価証券であったものがたんなる紙片になってしまいます。喪失した証券につきこのような判決を受けてはじめて，喪失者は権利を行使できることになります。

★ *4*　(4)　有価証券における権利の譲渡

T　このように，有価証券においては，権利の行使に証券が必要とされますが，そうだとすると，権利の譲渡にはどのようなことが必要になりますか。

N　権利を譲渡するということは，譲受人が権利を行使できるような地位におかれなければなりませんが，権利の行使に証券が必要ですから，権利を譲渡するには，証券を譲受人に交付する必要があると思います。

T　よくできました。その通りです。後で説明するように，有価証券には，その譲渡に裏書というものが必要とされるもの――これを指図証券といいます――と，それが必要でないもの――これを無記名証券といいます――とがありますが，どちらにしても証券の交付は必要です。記名証券についても同様ですが，その点についても後に取り上げます（⇨★*67*）。もちろん，権利の譲渡は一般原則により当事者間の意思表示が必要ですから，この意思表示と証券の交付とが有価証券における権利譲渡の効力要件になります。

M　おっしゃることはよくわかりますが，民法469条は，指図債権につき証書の裏書交付を第三者対抗要件としています。この規定をどのように理解したらよいでしょうか。

T　その規定によく気が付きましたね。しかし，これまで論じてきたところから明らかなように，権利の譲渡に証券の交付が必要だということは，権利が証券に結合しているということから論理必然的に導かれることであって，有価証券の本質と考えるべきものです。したがって，民法のその規定は修正して理解すべきです。民法学者もそのように理解しております（我妻559頁）。

M　わかりました。無記名債権についても，民法86条3項によれば動産とみなされ，民法178条によれば動産の引渡が動産に関する物権変動の第三者対抗要件とされていますが，これも同じように修正して理解するということでよいわけですね。

T　その通りです。なお，いま証券の交付が権利譲渡の効力要件か第三者対抗要件かが問題になりましたが，効力要件というのは，その要件がみたされなければ譲渡の当事者間でも効力が生じないのに対して，効力要件ではなく第三者対抗要件だとすると，当事者間では効力が生じますが，その譲渡の効力を第三者，たとえば債務者や二重譲渡の他の譲受人等に対しては主張できないということになります。第三者対抗要件の意味についてはまた後で触れる機会があると思います（⇨★*6*）。

★*5*　(5)　有価証券の定義

T　これまで論じてきたことから，有価証券とはどのように定義づけたらよいと思いますか。

N　有価証券とは権利の行使に証券が必要なものだと定義したらどうでしょうか。

M　有価証券の場合には，権利の行使に証券が必要なだけでなく，権利の譲渡にも証券が必要ですから，有価証券とは，権利の行使および譲渡の双方に証券が必要なものだという定義がなされております。

N　なるほど。私は，権利の行使に証券が必要なら，必然的に権利の譲渡にもそれが必要だということになりますから，譲渡の点には触れないでよいと思ったのですが，Mさんのような定義の仕方のほうが親切だと思います。

T　そういうことですね。有価証券とは権利の行使および譲渡の双方に証券が必要なものと定義するのが適当です。

M　ここでは権利の譲渡という言葉を使ってきましたが，権利の移転という言葉が使われるのが普通ではないでしょうか（たとえば，鈴木25頁以下)。

T　たしかにその通りですが，権利の移転というと，相続とか合併とかも含みますが，それらについては証券の交付は問題になりません。証券の交付は意思表示による権利移転の場合に必要とされるのですから，譲渡という言葉のほうが適当だと考えます。

M　もうひとつ質問ですが，記名株式の場合には，株式の譲渡にはたしかに株券の交付が必要ですが（商205条1項)，株主としての権利行使は株券にはよらず株主名簿の記載に基づいてなされます。このことといままで論じてきた有価証券の定義との関係を，どのように理解したらよろしいでしょうか。

T　それはもっともな質問です。げんにいまM君が提起した問題に関連して，有価証券の定義として「権利の行使に証券を要するもの」ということをあげることに反対する見解もあります。

N　しかし，これまで論じてきたところによると，有価証券というのは，証券に権利を結合させて権利の行使を証券によってさせるという点に基本的特色があり，その点でたんなる証拠証券と区別されると考えられるわけです。したがって，権利の行使に証券を要するということを有価証券の定義からはずしたのでは，その基本的特色を無視することになりませんか。

M　そのことは私もよくわかるのですが，げんに記名株式の場合には，権利の行使は株券によらずに株主名簿の記載によってなされるので，この点をどのように説明するかという問題を解決しなければならないと思います。

T　両君の意見はそれぞれもっともです。そこで，記名株式の場合に権利行使が株主名簿の記載によってなされていることをどのように説明するかですが，それは株券が表章している権利の特殊性によります。株券の場合に，その表章している権利に関して，他の有価証券に対してどのような特殊性がありますか。

N　それは，先ほども問題になったように（⇨★*1*），株券がたんにひとつの権利を表章しているだけでなく，利益配当請求権とか議決権とか株主の地位に伴うもろもろの権利を表章している点ではないでしょうか。

M　その点もそうですが，株券が表章している権利は，1回行使されたら消滅するのではなく，利益配当請求権にしても議決権にしても，会社が存続するかぎり行使される点が問題なのではないでしょうか。

T　M君のいう通りですね。株券が表章している権利は反復的に行使される点に特殊性があります。そこで，先ほどの有価証券の定義を株券の場合にあてはめると，権利の行使のたびごとにいちいち株券を呈示しなければならないことになるわけですが――そしてげんに無記名株券の場合にはそのようにして権利が行使されるのですが（商228条・239条2項参照）――，それでは煩瑣なので，権利行使のたびごとにいちいち株券を呈示しないでよいようにするために工夫されたのが記名株式における株主名簿の制度なのです。ところで，M君，株主名簿制度の概略を説明して下さい。

M　はい。記名株券の取得者は，会社に株券を呈示して，株主名簿に自分の氏名および住所を記載すること――これを株主名簿の名義書換といいます――を請求します。そして名義書換を受けますと，その後はその記載に基づいて会社に対して権利を行使できることになります。

T　その通りです。そこで，名義書換を請求するときは株券を呈示しなければならないということが要点になります。

N　なるほど。名義書換を請求するときに株券を呈示すれば，その後は権利行使のたびごとにいちいち株券を呈示しないでもよいことにしたのが株主名簿の制度ということになるわけですね。その点では株主名簿の記載が株券の権利行使のたびごとの呈示に代わる意味を持つと考えられるわけですね。

T　その通りです。そして，その意味では権利行使に証券が必要だという先ほどの有価証券の定義は記名株式の場合にもあてはまるといえるわけです。

★6　(6)　**有価証券の機能**——権利の流通性を高める機能——

N　有価証券とは，権利を証券に結合して，その行使および譲渡に証券を必要とすることにしたものだということはよくわかりましたが，どうしてそのようにしたのか，そのようにすることによってどういう効果を狙ったのかがよくわからないのですが……。

T　なるほど，もっともな質問です。その意味は，結局，有価証券はどういう機能を有するかということに帰着すると思います。それを問題とする前提として，有価証券に結合していない債権——これを指名債権といいます——について，その譲渡にはどのような手続が要求されるかを確かめる必要があります。

N　指名債権の譲渡手続としては，効力要件として当事者間の意思表示が要求されるほか，民法467条により，債務者その他の第三者に対する対抗要件として，譲渡人から債務者に対する譲渡の通知または債務者の譲渡の承諾が要求され，かつ債務者以外の第三者に対する対抗要件として，上の通知または承諾が確定日付のある証書——それは公正証書とか内容証明郵便など，通知または承諾の日付について公に証明されるような証書のことです——によることが必要です。

T　どうしてそのような第三者対抗要件が要求されるかを説明して下さい。はじめに債務者に対する関係について説明して下さい。

M　はい。債務者に対する関係では，債務者が譲渡の事実を知らないで譲渡人に債務を履行してしまった場合に，その履行は無効でさらに譲受人に履行しなければならないとされたのでは債務者に酷ですから，債務者に譲渡の事実を知らせるか，債務者が譲渡の事実を知ってそれを承諾するまでは，譲渡の効力が生じたことを債務者に主張できないとしたものです。

T　それでは債務者以外の第三者に対する関係を説明して下さい。

M　債務者以外の第三者とは，二重譲渡の他の譲受人とか譲渡された債権に対する差押債権者などを指します。これらの者に対する関係では，自分に対する譲渡が時期的に早くなされたから自分の権利がこれらの者の権利に優先すると主張するためには，譲渡人からの通知または債務者の承諾が確定日付のある証書によってなされることが必要です。譲渡の日付を当事者間で仮装してさかのぼらせるようなことができないようにするためです。

T　そうですね。ところが，この権利を証券に結合した場合には，このような手続を要求する必要があるかどうか考えてみて下さい。N君，どうですか。

N　その場合には，権利の譲渡のためには譲受人に証券を交付する必要があり，したがって，譲渡されると譲渡人は証券を所持しておりませんから，債務者に対して権利を行使することができず，またその権利を二重に譲渡することもできませんから，債務者またはそれ以外の第三者に対する対抗要件ということが問題になるような事態は生じようがないのではないでしょうか。

T　そういうことですね。このように，有価証券の場合には，たんに証券を交付するだけでよい――裏書交付が必要とされるものもありますが――点で，確定日付のある証書が必要とされる指名債権の場合よりも，権利譲渡の手続が簡易化されているということがいえるわけです。結局，有価証券の機能としては，どういうことがいえますか。

M　それは，権利譲渡の手続を簡易化することによって，権利の流通性を高める機能を有するということではないでしょうか。

T　その通りです。有価証券において，権利と証券とが結合されているということは，まさに上のような意味で権利の流通性を高めるための仕組にほかならないわけです。

★7　(7)　刑法における有価証券の定義との関係――権利の流通性と有価証券の定義――

N　刑法162条は有価証券偽造罪について規定しておりますが，そこでいう有価証券も同じに考えてよいでしょうか。

T　それは難問ですね。私は商法を専攻しておりますから，商法あるいは手形法・小切手法の分野における有価証券の概念については勉強しておりますが，刑法の有価証券偽造罪については勉強しておりません。よく概念の相対性ということがいわれます。たとえば「人」という概念でも，刑法では母体から一部でも露出したら人になると解されているのに対して，民法では全部露出したときに人になると解されていますね。したがって，刑法の分野と商法や手形法・小切手法の分野とで有価証券の概念が異なっても，少しもおかしいことはないと思います。刑法の方では，どのように理解されているのですか。

M　必ずしも考え方が一致しているとはいえないと思いますが，有価証券とは財産権をあらわす文書をいい，権利の行使またはその移転に当該文書の占有を要件とするものという考え方（最判昭32・7・25刑集11巻7号2037頁，香川240頁。なお，団藤226頁も同じだと思います），財産上の権利が証券に表示され，その表示された財産権上の権利行使につきその証券の占有を必要とするものであって，権利の流通性がなくても有価証券と認めるという考え方（藤木113頁）などがあります。

T　権利の行使または移転に当該文書の占有を要件とするという考え方は，行使には必要だけれども移転には必要でないとか，その逆のこととか，そういうことがありうるような表現ですね。

N　先ほど問題になった記名株券のことなどを想定しているのでは……。

T　そういうことでしたら，表現は違いますが，いずれにしても記名株券を有価証券に含めることはいうまでもありませんから，結果的には差異がありませんね。問題なのは権利の流通性がなくても有価証券と認めるかどうかということであって，このことは，商法上も問題になりますね。

M　その関係で質問しますが，商法上，たとえば裏書禁止手形が有価証券に含まれるかが問題とされています。また乗車券や観劇券・観覧券などは，刑法上は有価証券に含まれると解されていますが，商法上はどうかが問題になると思います。

T　それは，権利の譲渡が例外的で転々流通することが予定されていない場合に有価証券の概念に含めるかという問題ですね。ところで，この場合でも，権利と証券とが結合していて，権利の行使および譲渡に証券が必要とされており，したがってまた，権利の譲渡は証券の交付のみで足りる——権利譲渡の手続が簡易化されている——という点では，有価証券についてこれまで論じてきたことがそのまま妥当します。この点では，商法上もそれらの証券を有価証券に含めて考えることができます。

M　裏書禁止手形については，手形法11条2項によれば，指名債権譲渡の方式に従ってのみ譲渡できるとされていますが……。

T　その点はまた後で論ずる機会を持ちたいと思いますが（⇨★ ***67***），結果的には権利が証券に結合している以上，そのような方式に従う必要はないと考えます。問題があるとすれば，先ほど有価証券を喪失した場合に除権判決を受けなければ権利を行使することができないといいましたが，いまあげられた乗車券や観劇券・観覧券等が公示催告手続の対象になるかということで，その対象にはならないといわざるをえないと思います。

N　権利の流通が予定されていなくても，また公示催告手続の対象にならなくても，権利が証券に結合している以上は有価証券だと考えてはいけないでしょうか。

T　実は私もそのように割り切ってよいと考えております。そして有価証券のなかには例外的に公示催告手続の対象にならないものもあると考えてよいと思います。本来は，権利の流通性を高める目的のために権利と証券とを結合したのが有価証券ということになるわけですが，権利行使の便宜あるいは義務者の便宜のために，必ずしも流通性を高めることを目的としない権利についてもこれを証券に結合するということもあり，これも有価証券に含めてよいのではないかと考えます。そして，このように考えると，おそらく刑法上の有価証券の範囲と商法上のそれとが一致することになるのではないかと思いますが。

2　有価証券の成立時期

★*8*　(1)　有価証券の作成と交付

T　有価証券においては権利が証券に結合しているということをこれまで論じてきましたが，問題なのは，どのようにして，あるいはどの段階で権利が証券に結合するかということです。いいかえれば，有価証券として成立するのはいつかということです。ところで，N君，専門的に考える必要はないのですが，株券とか手形・小切手などを念頭において，常識的に考えて，有価証券の発行というのはどういうことだと考えられますか。

N　それは必要な事項を記載した証券を相手方に交付することだと思います。

T　それを分析すると，それはどういう行為とどういう行為とから成りますか。

N　必要な事項を記載して証券を作成する行為と作成された証券を交付する行為とから成ります。

T　そこで，権利が証券に結合するのはどの段階と考えますか。

N　証券の作成によって権利が証券に結合するとは考えられないでしょうか。

T　それは自然な考え方だと思います。ところが実は有価証券において権利が証券に結合するのはどの段階かについては，いろいろな学説が対立しております。この点について次に論じましょう。

★9　(2)　有価証券の成立時期に関する各説

T　手形については，その成立時期に関する問題がいわゆる手形理論をめぐる論争の主要な点となっており，株券についても，同じように判例・学説上論じられております。M君，この点について説明して下さい。

M　3つの学説に分けることができます。手形の場合と株券の場合とで，内容には差異がないと思いますが，表現が違います。手形の場合には，いわゆる手形理論として論じられており，契約説，発行説および創造説の3つに分かれますが，株券の場合には，契約説に対応するのが交付時説，発行説に対応するのが発行時説，創造説に対応するのが作成時説と呼ばれています。

T　そのように3つの説に分かれるのは，どういう観点からですか。

M　それは，たとえば，証券が作成されたけれどもまだ交付されるべき相手方に交付する前に，盗取されて善意の第三者に取得された場合に，その第三者に証券上の権利を取得させるべきかという観点からです。

T　その通りですね。それではそれぞれの内容を説明して下さい。

M　契約説＝交付時説は，証券が作成されてそれが交付すべき相手方に受け取られた時点ではじめて権利が証券に結合するという考え方で，それまでは有価証券として成立せず，したがって，それが流通しても権利は取得されないというものです。発行説＝発行時説は，たとえば証券が作成されてそれを郵送するために郵便ポストに投函したとか郵便局に持ち込んだというように証券の占有を移転すれば，交付すべき相手方に受け取られなくてもその占有移転の時点で有価証券として成立するという考え方です。最後の創造説＝作成時説は，証券が作成されれば，その時点で権利が証券に結合するという考え方です。

T　そうですね。さっきN君は証券の作成によって権利が証券に結合するといいましたが，それは創造説＝作成時説ということになりますね。一般に動的安全と静的安全のどちらを強く保護すべきかということが論じられますが，N

君，どの説が動的安全の保護を重視し，どの説が静的安全の保護を重視しておりますか。

N　はい。創造説＝作成時説が動的安全の保護に徹底しており，契約説＝交付時説は静的安全の保護を重視しており，発行説＝発行時説はその中間にあります。

T　そうですね。それでは，次にこれらのどの説が妥当かについて検討することにしましょう。

★*10*　(3)　各説の検討

T　この問題に関しては手形の場合と株券の場合とで若干事情が違いますから，とりあえずは別々に検討することにしましょう。まず手形について検討しましょう。M君，どうですか。

①　手形の場合

M　手形の場合には，現在は純粋に契約説を支持する見解は見当たりません。契約説に権利外観理論をつけ加えて手形取得者の保護をはかっており，結果的には創造説と差異がなくなってしまっております。最近は発行説に権利外観理論をつけ加える説もあらわれております。

N　権利外観理論についてもう少し説明して下さい。

M　この理論は，手形署名者は，手形を作成することによって，手形債務を負担したような外観を作出して第三者の信頼を生じさせており，しかもそのことにつき責任がある——これを帰責事由があるといっております——から，その外観作出に基づく責任を負うべきだというものです。

N　その理論は，手形を作成したこと自体につき外観作出の帰責事由があるとするのでしょうか。もしそうだとしたら，創造説と全く同じになってしまうのではないでしょうか。

M　実はその点については議論があって，手形の作成自体に帰責事由を認める見解もありますが，そうではなく，それだけでは帰責事由ありとせず，さらに作成された手形の保管につき過失がある場合に帰責事由を認める見解もあります。後の見解によると，手形を作成してもその保管につき過失がなければ責任を負わないことになると思います。

N　後の見解をとると，創造説とは結果的に異なる場合が生じますが，手形上の責任を負うかどうかの限界が非常に曖昧になるのではないでしょうか。そういう議論をするよりは，創造説の方がすっきりするのではないでしょうか。

T　その通りですね。権利外観理論というのは権利濫用論などと同じく，適用の限界が曖昧になることは否定できません。したがって，私としては，どうしてもやむをえない場合にはそれによることは仕方がありませんが，できるだけ使わないようにすべきではないかと思います。結果的にも，取引の安全という観点から，創造説が適当と考えます。

N　私が調べたところによると，最高裁昭和46年11月16日判決（民集25巻8号1173頁）は，流通におく意思で手形に振出人として署名した者は，その手形が盗難・紛失等によりその者の意思によらずに流通におかれた場合でも手形債務を負うといっております。この判決は，手形の作成によって手形上の責任が発生するとしたものと理解してよいのではないでしょうか。

M　その通りですが，「流通におく意思で手形に署名した者」といっている点が気になります。先生，この点をどのように理解したらよいでしょうか。

T　そうですね。その点は問題ですね。この点については，手形債務の成立要件のところでまた取り上げることにしましょう（⇨★*24*）。

★*11*　㊁　株券の場合——手形の場合との対比——

T　株券の場合には，この問題についてどのような議論がなされていますか。

M　株券の場合には，手形の場合と違って権利外観理論をつけ加えるというような考え方はなされておりません。また判例も，手形の場合の契約説に相当する交付時説をとり，会社が株主に交付した時に株券となるといっております（最判昭40・11・16民集19巻8号1970頁等）。

T　たしかにその通りですね。このように，同じ有価証券でありながら，有価証券の成立時期について，手形の場合と株券の場合とで異なる考えをとるのが適当かどうかという問題はありますが，まずはじめに手形の場合と株券の場合とで，この問題に関して異なる要素があるかどうかを考えてみましょう。

N　手形の場合には，たとえばAがBに手形を振り出そうと思って手形を作成したところが，Bに交付する前にAがその手形を盗まれて善意の第三者甲に取得されたときは，先ほど論じたように，Aは甲に対して手形債務を負いますが，もちろんBに対してもう一度手形を振り出す必要がありますから，結局A

が損をするわけです。このように手形を盗まれた本人であるAが損をするのは自業自得でやむをえないと思いますが，株券の場合は，その点がどうなるのかはっきりしないのですが……。

M　まさにN君の指摘した点が問題だと思います。株券の場合には，A会社が株券を株主であるBに交付する前に盗まれて善意の第三者甲に取得された場合に，作成時説によりますと，甲が株主としての地位を取得してBが株主としての地位を失ってしまいます。したがって盗まれたのはA会社なのに損をするのは株主Bということになります。この結果は不都合だと思います。

N　なるほど，私も同感です。判例が株券の場合に交付時説をとっているのはもっともだと思います。

T　両君のいうことはよくわかります。そして，学説上も株券の場合には交付時説の方が多数説かもしれません。しかし，さらに考慮すべき点があります。第1に，実務上は，会社は株券を株主に郵送する際に，運送保険契約または責任保険契約を締結しております。したがって，先ほどの例で，A会社はBに対して損害賠償をします。Bとしては，それでA会社の株式をあらたに取得すれば損を蒙らないですむわけです。

N　しかし，上場されていない株式のような場合には，Bが必ずA会社の株式をあらたに取得できるとはかぎらないと思いますが……。

T　それはその通りで，その場合はBとしては金銭賠償で満足するしかないという問題は残ります。ただ，交付時説によると，株主によって作成された株券が受け取られるまでは，株券として成立しないわけですから，その間に盗まれても損害が生じません。したがって，交付時説をとると，先ほどのような保険をつける意味がなくなってしまい，そのような実務が説明できなくなるという問題もあるわけです。第2には，同じ有価証券の成立時期については，できたら有価証券全体に共通に通用する理論が立てられたら，それに越したことはないわけです。たしかに，手形の場合と株券の場合とで異なる事情があることは理解できますが，それを考慮しても結果的には，私は，有価証券一般につき，その善意の取得者の保護のために，創造説ないし作成時説で一貫すべきではないかと考えております。

3　証券の作成とその原因関係

★*12*　(1)　証券作成の原因関係

T　証券が作成されるについては，その原因となる法律関係があり，これを原因関係といっております。M君，これを具体的に説明して下さい。

M　はい。たとえば，買主Aが売主Bを受取人として売買代金債務の支払をするために手形を振り出した場合には，AB間の売買という法律関係が原因関係になります。

T　株券，社債券，倉庫証券，運送証券等についてはどうですか。

M　株券や社債券については，その原因関係として株式の発行，社債の発行があり，倉庫証券については寄託契約，運送証券については運送契約がその原因関係となります。

N　株券や社債券については，その発行という概念のほかに，株式の発行あるいは社債の発行という概念があるのですか。

T　そうです。株式について説明するとわかりやすいと思いますが，株式の発行は会社の設立（商165条以下）あるいは新株の発行（商280条ノ2以下）の手続に従ってなされ，そのようにしてすでに成立した株式について株券が作成されることになるわけです。社債の場合にも取締役会の決議（商296条），社債の申込（商301条），および社債の払込（商303条）によって社債が成立すると考えられます。

★*13*　(2)　原因関係が無効等の場合と証券の効力

N　たとえば，手形の原因関係である売買契約が無効であったとか，新株発行が無効であった場合（商280条ノ15）に，手形や株券の効力はどうなるのでしょうか。

T　それがまさに問題の点です。有価証券法における最も大きな問題のひとつでしょう。その解答は証券によって異なります。N君の例にあげた手形と株券とが対照的ですから，まずそれらについて検討しましょう。

㋑　手形の場合

T　まず，手形の場合にはどうですか。

ⓐ　無因証券

M　手形の場合には，その原因関係が無効でも手形の効力は否定されません。このように，手形は原因関係の無効，取消，解除等の影響を受けないで有効に成立しますので，無因証券あるいは抽象証券といわれます。

N　それはどういう意味でしょうか。先ほどの例で，AB間で売買契約が無効の場合でもBはAに対して手形金を請求できるということでしょうか。

M　いや，そうではありません。その場合にはAはBとの間の原因関係が無効であることを理由にしてBの手形金請求を拒むことができます。これを人的抗弁といっております。

N　そうすると，手形が無因証券だということはどういう意味がありますか。

M　それは，先ほどの例で，Bから手形を譲り受けたCを保護するという意味があります。

T　その通りです。もし，AB間の原因関係が無効だった場合に，Aの振り出した手形も原因関係の影響を受けて効力が否定されるとすると，手形はたんなる紙片になってしまいますから，AはBに対してだけでなくCに対しても手形金の支払を拒むことができることになります。それでは手形取引の安全の見地から不当なので，手形法17条本文はAのBに対する人的関係に基づく抗弁をCに対抗できないと規定しております。この規定を理論的に説明するためには，AB間の原因関係の効力が否定されても手形の効力は否定されず，Aに対する権利は手形上に結合しているということが必要であり，手形は無因証券だということになるわけです。

N　そうすると，手形が無因証券だということは，手形法17条を説明するための構成だといってよいわけですか。

T　そういうことです。別のいい方をすれば，手形が無因証券だということの実定法上の根拠として手形法17条があげられるということもいえるわけです。

★*14*　ⓑ　設権証券

N　手形の効力がその原因関係の無効等の影響を受けないで有効に成立するとすると，手形に結合している権利はその原因関係によって発生した権利——先ほどの例では売買代金債権——ではないといわざるをえないと思いますが，そのように理解してよいのでしょうか。

T　その通りです。手形に結合している権利が売買代金債権だとすると売買契約が無効で売買代金債権が存在しなかった場合には手形の効力が否定されることになりますが，その場合にも手形の効力は否定されないというのがまさに手形が無因証券とされる理由なのですから，N君のいうように，手形に結合している権利は原因関係によって発生したものではないということになります。

N　そこで質問なのですが，そのように手形上の権利が原因関係によって発生した権利でないとすると，それはどのようにして発生するのでしょうか。なにか無から有が生ずるような感じがするのですが……。

T　それはよいところに気が付きましたね。もっともな質問です。M君，この点はどうですか。

M　それは証券の作成自体によって発生します。このように権利の発生が証券によることを要する証券を設権証券といいます。

N　そうすると，手形は設権証券だということになるわけですが，それについての実定法上の根拠があるのですか。

T　それはありません。無因証券である以上は，いまN君自身が指摘したようなことから，論理必然的に設権証券になるということです。

N　なるほど，わかりました。証券さえ作成されれば原因関係の有無にかかわらず，権利が証券に結合するのですか。

M　そうです。

N　そうすると，未成年者が法定代理人の同意を得ないで証券を作成した場合でも権利が発生しますか。

T　そうではありません。証券の作成といってもそれは物理的なものではなく，証券作成行為という法律行為を意味します。法律行為である以上は有効な意思表示によることが必要で，いまN君があげた例ではその意思表示が取り消されれば証券作成行為の効力が否定されますから，権利は発生しません。設権証券とは，有効な証券作成行為によって権利が発生するものということができるでしょう。証券作成行為の成立要件については，また後で触れることにします（⇨★ *21* 以下）。

★ *15*　© 文言証券

N　手形上の権利がどのようにして発生するかはわかりましたが，それがどのような内容のものかはなんで決まりますか。この点も，原因関係では決められないと思いますが……。

M　それは証券上の記載によって決まります。このように，権利の内容が証券の記載によって決められる証券を文言証券といいます。

N　それも手形の無因証券性ないし設権証券性から導かれるものですか。

T　その通りです。手形法にその旨の規定があるわけではありません。手形の文言性の詳細についてはまた後で触れることにしましょう（⇨★***33***）。

★*16*　㋺　株券の場合

T　それでは株券の場合に移りましょう。

ⓐ　有因証券

M　株券の場合には，その原因関係である株式の発行の効力が否定されると，株券も効力を失います。このように，株券はその原因関係が無効であればその影響を受けてその効力が否定されますので，有因証券とか要因証券とかあるいは非抽象証券といわれます。

N　しかし，株券の場合にも取引の安全を保護すべき点では，手形の場合と差異がないのではないでしょうか。

M　それはその通りですが……。

N　株券の場合には，それが有因証券である旨の実定法上の根拠があるのですか。

M　それはないと思います。それが結合している株式という権利の性質からいって有因証券と解することになるのだと思います。

T　N君のいう通り，有価証券における取引の安全という観点からいえば，すべての有価証券を無因証券とすればよいわけですが，証券に結合している権利の性質によっては，無因証券とすることができないものもあり，株券の場合はまさにそれに該当します。

M　手形の場合には，結合している権利が金銭債権ですから，ＡＢ間の原因関係の効力と関係なしに手形の効力を認めても不都合はありませんが，株券の場合には，結合している権利が株式という複雑なものですから，新株発行の効力と無関係に株券の効力を認めて株主の権利を行使させるわけにはいかないと思います。

T　そうですね。特にその無効とされた分について株主の権利行使を認めることは，他の株主の権利が相対的に減少することになるので，原因関係である新株発行の効力が否定されても株券の効力を認めるというわけにはいかないのです。

N　よくわかりましたが，そうだとすると新株発行の無効があまり簡単に認められては困りますね。

T　その通りです。これは会社法の問題ですが，新株発行無効事由は極力少なくするように解釈されているのは，まさに株式取引の安全を考慮しているからにほかなりません。

★*17*　ⓑ　二重株券

T　二重株券あるいはダブル株券という言葉があります。どういうものか想像がつきませんか。

M　それは同じ株式について二重に発行された株券のことです。特定の株式に関連なく，ただ株式の裏付けのない株券のことも含めてダブル株券ということもあります。

T　その通りですね。この二重株券の効力はどうなりますか。

N　株券は要因証券ですから，株式の裏付けのない株券は無効だと思います。特定の株式について二重に発行された株券の場合には，どちらかが有効で他は無効だということになるはずですが，どちらが有効なのかはちょっとわかりません。

M　その場合には先に発行された方が有効だと思います。

N　どちらが先に発行されたかわからない場合はどうなりますか。

T　その場合はどちらかを有効とするわけにはいきませんから，株券は両方とも無効といわざるをえないのではないでしょうか。

N　確認ですが，二重株券というのは偽造株券とは区別されるのでしょうね。

M　区別されると思います。株券の偽造というのは株券を作成する権限のない者が株券の外観を呈するものを作成することですが，二重株券というのは，株券を作成する権限のある者たとえば社長がそれを作成した場合でも問題になります。

T　そういうことですね。刑法上，二重株券の作成について，それも有価証券の偽造罪に該当するという考えも一部にあるようですが，一般的には有価証券の虚偽記入罪にあたると解されているようですね。

★ *18*　© 非設権証券・非文言証券

N　株券に表章されている権利は株式の発行によって発生したものだとすると，それは設権証券でも文言証券でもないと考えてよいのですね。

T　その通りです。

N　そうだとすると，無因証券であれば，論理必然的に設権証券であり，文言証券であるということになり，逆に有因証券であれば，論理必然的に非設権証券であり非文言証券だと理解してよいですか。

T　それは面白い考え方です。その考え方は，これまでみてきた通り，少なくとも手形，小切手の場合と株券の場合にはあてはまったわけです。その点に関連して問題とされているのは，倉庫証券や貨物引換証等についてです。それでは，次にこの問題を取り上げましょう。

★ *19*　㈥ 倉庫証券および運送証券の場合

T　倉庫証券や船荷証券その他の運送証券のような一定の物品の引渡を請求する権利を表章する有価証券については，原因関係と証券の効力との関係についていろいろな意見が出されていますね。あるいは混乱するかもしれませんが，できるだけ単純な例をあげて問題点を紹介して下さい。

M　たとえば運送業者が貨物引換証に運送品として純毛洋服地1,000ヤールと記載したが，実際に運送を引き受けたのは化織洋服地1,000ヤールであった場合の運送業者と証券所持人との間の法律関係はどうなるのかということです。さらに問題点を押し進めると，運送業者がなにも運送を引き受けなかったのに，たとえば貨物引換証に運送品として純毛服地1,000ヤールと記載した場合——いわゆる空券の場合——の法律関係はどうなるかということも問題になります。

N　商法572条によれば，運送に関する事項は運送人と所持人との間においては貨物引換証の定めるところによるとされていますから，いまMさんのあげた例では，いずれの場合も証券の記載によって法律関係が決せられることになるのではないでしょうか。

M　ところが，貨物引換証は要因証券と解されていますので，このことと商法572条の規定——これは貨物引換証の文言証券性を規定したものと理解されているわけですが——との関係が論じられているわけです。

N　しかし，前にも問題になったことですが（⇨★ ***18***），要因証券ということと文言証券ということとが両立しうるのでしょうか。

T　そこが問題なのですが，従来の多くの学説では，それをどのように両立させるかという観点から，いろいろな主張がなされているわけです。どのような主張がなされているか，紹介して下さい。

M　率直にいって，ごたごたしていてまとめにくいのですが，第1に，要因証券性を重視して，空券の場合には原因を欠いたものとして無効であり，品違い，数量違いの場合には現実に受け取った運送品を引き渡せばよく，商法572条にいう「運送に関する事項」とは運送賃のような本質的なものでない軽微な事項に関するにすぎないという見解があります。

第2に，これとは逆に文言証券性を重視して，要因性とは証券上の権利の原因を証券に記載することを要するだけであって，空券の場合や品違い，数量違いの場合にも，証券記載通りの責任を負うという見解があります。その中間に，空券の場合は無効で，品違いの場合は有効だという見解等があります。

N　たとえば，いまあげられた空券の場合を例にとると，どの考え方をとっても，運送人は証券に記載された物品を受け取っていないのですから，それを引き渡すことができないわけですが，そうすると，第1の考え方と第2の考え方とで具体的にはどのような違いがあるのですか。

M　それは，第1の考え方をとった場合には，証券所持人は，運送人が虚偽の記載をしたことによる不法行為責任を負うのに対して，第2の考え方をとった場合には，証券の記載通りの責任を負いますから，それを履行できないときは債務不履行責任を負うことになります。

N　証券所持人にとっては，不法行為責任を追及するには運送人の故意・過失を立証しなければならないのに対して，債務不履行責任を追及するには，そのような必要がなく，運送人の側で自分の無過失を立証しなければ責任を免れないわけで，後の方が有利ですから，文言性を重視する考え方が妥当だと思います。いずれにしても，これらの説は，程度の差はありますが，貨物引換証は要因証券であることを前提としているようですが，どういう根拠でそれが要因証券だということになるのでしょうか。

M　それが当然の前提とされているようです。その本質上要因証券だという説明もなされています。

N　私はどうも一方で文言証券性を認めながら，他方で要因証券だというのは矛盾するような気がします。貨物引換証が要因証券だということを前提とすることは問題ではないでしょうか。

T　たしかに，文言証券性と要因証券性とは矛盾しますから，文言証券性が認められる限度では要因証券性が否定されて無因証券化したと解すべきではないかと考えます。ただ，そうはいっても，運送人と貨物引換証の所持人との間の法律関係が，その原因となった運送契約の影響を受けざるをえない場合があるということがいわれていますが，M君，この点について説明して下さい。

M　はい，運送人の側が無過失を立証した場合には，債務不履行責任を負わないことは当然です。また，証券上になされた計量不明・内容不明というような不知約款あるいは免責約款の記載は，荷造りの方法，目的物の種類からみて内容検査の不適当なことが取引通念上明らかな場合は有効だというのが判例です（最判昭44・4・15民集23巻4号755頁）。

T　そういうことですね。そのような限度では，証券所持人は原因関係の影響を受けざるをえず，したがってまた，その限度では要因証券性を認めざるをえないといわれています。もっとも，不知約款，免責約款については，それは証券に記載されている事項ですから，文言証券性の枠内の問題として取り扱うことも可能ですね。

★*20*　㊂　社債の場合

T　最後に社債券の場合はどうでしょうか。

M　社債券の場合にも，これを社債契約上の権利を表章する有価証券と解する立場と，抽象的な債務約束をする有価証券と解する立場があります。前の立場は，社債券を要因証券と解し，後の立場は，それを無因証券と解することになります。

T　そういうことですね。

N　前の立場だと，社債契約が無効ないし取り消されれば，転々流通している社債券も効力を失うわけですか。

T　理論的にはそうなりますね。実際には社債契約に無効事由や取消事由の生ずることはきわめて稀でしょうがね。

N　しかし，社債券に表章されている権利は単純な金銭債権ですから，無因証券と解して取引の安全を図るべきではないでしょうか。

T　もっともな考えですね。最近はそのような考えが漸次有力になってきているわけです。

4　証券作成行為の成立要件

★*21*　(1)　問題点——形式的要件と実質的要件——

T　これまで述べたどのような考え方をとっても，証券の作成が有価証券の成立のために必要であることは否定できません。そして，前にN君から質問があって論じたように（⇨★ *14*），証券の作成というのはたんに物理的にみるのではなく，法律行為としての証券作成行為が有効に成立しているかどうかが問題になるわけです。そこで次に，どういう要件がみたされたら有効に証券作成行為がなされたことになるかという問題を取り上げましょう。この点はどうですか。

M　証券作成行為の有効要件は２つに分けられます。形式的要件と実質的要件です。形式的要件とは，方式がととのっているかどうかということであって，必要な記載事項が記載されているかどうか，本人または代理人，代表者による署名がなされているかどうかを問題とするものです。実質的要件とは，証券上に有効な意思表示がなされているか，代理人または代表者によって作成される場合にはその作成について代理権または代表権があるかどうかを問題とするものです。

T　そうですね。いまM君がいったなかには，証券が本人自身によって作成される場合と代理人や代表者などの他人によって作成される場合とが含まれていましたが，代理人や代表者によって作成される場合の特有の問題は後回しにして（⇨★ *25*，*26*），とりあえずは一般的な形式的要件および実質的要件について取り上げましょう。

★*22*　(2)　形式的要件（方式）——要式証券性——

T　M君がいったように，有価証券の場合には，それぞれの有価証券に必要な記載事項が定められております。その条文をあげて下さい。

N　株券については商法225条，手形・小切手については手形法1条・75条および小切手法1条，社債については商法306条2項・341条ノ3・341条ノ12，担保附社債信託法35条，さらに，貨物引換証，倉庫証券および船荷証券については商法571条・599条・769条に規定されています。

T　それらの規定では，一定の事項を記載し，一定の者が署名をすることを要するというように定められているわけです。このような記載事項のどれかを欠いた場合にはどうなりますか。

M　手形・小切手については，手形法2条1項・76条2項，小切手法2条1項で，その場合には手形・小切手としての効力を有しないと規定されています。それ以外の証券については特に規定されていません。

T　解釈としては，株券など手形・小切手以外の証券については，その本質的でない事項の記載を欠いても無効にはならないが，本質的事項の記載を欠いたら無効になると解されています。このように記載事項が法定されており，その記載事項またはそのうちの本質的事項の記載を欠けば有価証券としての効力を生じないとされているものをなんといいますか。

M　要式証券といいます。

N　いま本質的事項の記載を欠けば無効になるということでしたが，なにが本質的事項でなにがそうでないかを判断する基準はなんでしょうか。

T　具体的にはそれぞれの有価証券ごとに判断しなくてはなりませんが，一般的にいえば，証券に結合する権利の内容を確定するのに必要な事項は本質的事項としてその記載を欠けば効力が否定されるといわざるをえないでしょう。

N　有価証券が一般的に要式証券とされるのはなぜですか。

T　それが肝心な点ですね。考えてみて下さい。

M　先ほどの本質的事項かどうかの判断基準に関する説明で気がついたのですが，有価証券の場合には，証券上の記載から権利の内容がわかるようにする必要があるということからではないでしょうか。有価証券の場合には権利の行使および譲渡が証券によってなされますから，証券の記載だけからその権利の内容がわかることが望ましいので，そのようにする必要があるといえるのではないでしょうか。

T　そういうことですね。そういう理由から，有価証券は，その種類によって程度に差はありますが，いずれも要式証券とされているわけです。手形・小切手のように無因証券の場合には，前に論じたことからも明らかなように（⇨★*15*），権利の内容は証券の記載だけから決められますから，必然的に厳格な要式証券とされるわけです。有因証券の場合でも，証券の譲受人の保護ということから，証券の記載だけで権利の内容が明らかになった方がよいわけですから，先ほどもいったように，権利の本質的事項は記載しなければならないとされているということができるでしょう。

★*23*　(3) 実質的要件

T　それでは実質的要件に移りましょう。この点についてはどういうことが問題になりますか。

M　第1に，作成者が行為能力者かどうか，無能力者だったらその者が有効な意思表示をするのに必要な手続をふんでいるかが問題になり，第2に，証券の作成に当たって意思表示の瑕疵・欠缺がないかどうかが問題になります。

T　そうですね。その2つをまとめると，結局，証券作成行為が有効な意思表示によってなされたかどうかということですね。これらの点については，手形・小切手の作成を念頭において議論して下さい。株券の場合には，会社が作成しますから，行為能力の問題は生じませんし，意思表示の瑕疵・欠缺ということも実際上問題になることはないと思われますので……。

㋑ 行為能力

T　行為能力の点についてどうですか。

M　それについては，民法の行為能力に関する民法4条以下の規定がそのまま適用されると考えられています。

N　そのように解すると，取得者にとっては作成者が行為能力者かどうかがわかりませんから，その保護に欠けるという問題はありませんか。

M　それはもっともですが，無能力者を保護するという無能力者制度の目的からいってやむをえないと考えられております。

N　もうひとつ質問ですが，民法12条は，準禁治産者がそこに列挙された行為をするには保佐人の同意を得ることを要するものとし，その同意を得ないでした行為は取り消すことができると規定しておりますが，この規定は手形の作成についてはどのように適用されるのでしょうか。

M　手形を作成することによって作成者は手形債務を負いますから，同条1項2号の「借財」に含まれると解されています。

T　そういうことですね。

★24　㊂　意思表示の瑕疵・欠缺

T　それでは意思表示の瑕疵・欠缺の問題に移りましょう。民法93条以下にはこの問題に関する規定が設けられておりますが，一番問題点がはっきりする錯誤の場合について考えましょう。手形の作成に当たって錯誤があったといえる典型的な事例を示して下さい。

M　たとえば手形金額を100万円と記載するつもりであったのに間違って0をひとつ多く書いてしまって1,000万円と書いてしまったような場合です。

T　そうですね。その場合に，民法95条によると，錯誤による意思表示は無効ですから，それをそのまま適用すると，手形の作成は無効になり，手形の作成者は手形上の責任を負わないことになってしまいますが，それでよいかどうかということが問題になるわけです。

N　それは適当ではないと思います。自分で間違って0をひとつ多く書いてしまいながら責任を負わないということは不都合だと思います。そのような事例においては，作成者に重大な過失があるとして，民法95条但書により無効を主張させないと解することも可能ではないでしょうか。

T　それはいい考えですね。これまで民法95条但書を手形の作成について適用するということはいわれていませんが，錯誤について問題を解決するためのひとつの考え方ではありますね。ただ，さらに問題を拡げると，強迫されて手形を作成したような場合にはどうなりますか。

N　強迫の場合については，民法95条但書のような規定がありませんから，民法96条1項により，その意思表示を取り消すことができます。

M　それにつけ加えますと，民法96条3項によれば，詐欺による意思表示の取消は善意の第三者に対抗することができませんが，強迫についてはそのような規定がありませんから，N君がいったように，善意の第三者に対する関係でも常に取り消すことができます。

N　強迫の場合には，違法行為をされたのであり，気の毒な立場にありますから，そのように保護されてしかるべきではないかと思いますが……。

T　たしかにN君のいうことはもっともな面があり，おそらく民法もそのような立場に立って立法されたのでしょう。しかし，違法行為をされたという点については，詐欺についても同じことがいえるわけで，民法が強迫についてとっている上のような立場については，立法論としての当否は問題とされているわけです。そこで手形についてはさらに民法の規定をそのまま適用するのが適当かどうかが問題となります。

M　そこで，錯誤や強迫の場合については，手形の作成に特有の理論として，有効な意思表示があったと認められるためには，手形であることを認識し，または認識すべくして手形を作成して署名すれば足りると解されています。

N　なるほど。そうすると，錯誤や強迫を理由に意思表示の無効や取消を主張するということは，ほとんどできないということになりますね。錯誤と強迫の場合についてはわかりましたが，たとえば，虚偽表示については，民法94条はその1項で無効としておりますが，2項でその無効は善意の第三者に対抗できないと規定しております。手形の作成行為についてはこれを適用するのかどうか，適用するとして，善意かどうかが問題になる第三者というのはだれになるのでしょうか。詐欺の場合にも，先ほどの民法96条3項につき同じことが問題になると思いますが……。

M　その点は手形理論についてどういう立場をとるかということとも関連して議論のあるところです。

T　その通りですね。前に有価証券の成立時期について論じましたが(⇨★ *8* 以下)，契約説によれば証券の作成と交付とがあって有価証券が成立するわけですから，民法の規定を適用すると交付の相手方が上の第三者になります。ところが創造説によれば，証券の作成によって有価証券が成立しますから，それにつき善意かどうかが問題になる第三者ということがありえないことになります。そこで創造説の立場からは，錯誤や強迫の場合についてだけではなく，虚偽表示や詐欺さらには心裡留保の場合も含めて，民法の適用を排除して先ほどの手形に特有の理論を適用することになります。

M　前に「流通におく意思で手形に署名した者」は手形債務を負うという判例が問題になりましたが (⇨★ ***10***以下)，上の考え方によれば，流通におく意思があったかどうかは問題にする必要がないことになるのではないでしょうか。

T　そうですね。手形であることを認識し，または認識すべくして手形を作成・署名すればよいことになりますね。

N　そのように解すると，理論として一貫するような感じがします。もうひとつ質問ですが，その理論で手形の作成行為が有効に成立するとして，手形の交付の相手方が悪意だった場合はどうなりますか。

T　その場合についても議論が分かれておりますが，それについては証券の交付行為ないし権利移転行為の問題として，後で取り上げることにしましょう(⇨★*31*，*42*)。

★*25*　(4) 他人によって証券が作成される場合の有効要件

T　証券が本人自身によってではなく，他人によって作成されるのは，どのような場合がありますか。

M　個人の場合でも，他人に依頼して証券を作成することがありますし，会社その他の法人の場合には，常に代表者ないし代理人によって証券を作成することになります。株券の場合には代表取締役が作成することになりますが，代表取締役が作成するといっても，具体的には印刷所が作成することになります。

N　株券について作成時説をとった場合には，どの時点で株券が作成されたことになるのでしょうか。印刷所が株券を印刷した時点といってよいのでしょうか。

T　印刷所が会社の委託に基づいて株券を作成した以上，印刷所が作成した時点で株券が有効になると解されます。

㋐　形式的要件――代理方式と機関方式――

T　代理方式と機関方式の違いについて説明して下さい。

M　代理方式とは，A代理人BまたはA会社代表取締役Bというように，他人Bが本人Aのためにすることを示して証券を作成する方法であり，機関方式とは他人Bが直接本人A名義で証券を作成する方法です。

T　そうですね。他人による証券作成の場合には，前に論じた一般的な形式的要件をみたすほかに，上のいずれかの方式によらなければならないわけです。もっとも，株券の場合には，商法225条により代表取締役（同条にいう「取締役」とは代表取締役を指します）の署名が要求されていますから，代理方式によることになります。

★26　㈢　実質的要件——代理権・権限——

T　他人による証券作成行為の実質的要件としては，どのようなことがあげられますか。

M　BがAから上のような方式で証券を作成する代理権（代理方式の場合）あるいは権限（機関方式の場合）を与えられていなければなりません。

T　そのような権利ないし権限が与えられていない場合のことをなんといいますか。

M　代理方式の場合には無権代理，機関方式の場合には偽造といっております。

N　刑法上の有価証券偽造罪という場合に，無権限で機関方式の証券を作成した場合に限られるのでしょうか，それとも無権代理の場合も含まれるのでしょうか。

T　刑法上の偽造とは，作成権限のない者が他人名義の有価証券の外観を呈する証券を作成することと解されていますが，代理方式の場合に，本人Aが作成名義人と解すれば，無権代理も偽造になるし（藤木113頁・111頁），代理人Bが作成名義人と解すれば，無権代理は偽造ではなく虚偽記入に当たることになりますね。

N　わかりました。

T　そこで，Bに権限が授与される態様としてどのようなものがありますか。

M　個々的に与えられることもありますが，代表取締役（商261条3項・78条1項）や支配人（商38条1項）のように，その地位に基づき当然に営業に関する包括的な権限が与えられる場合もあります。

N　証券作成行為についても，表見代理（民109条・110条・112条）あるいは表見支配人（商42条）または表見代表取締役（商262条）に関する規定の適用はあるわけでしょうね。

T　それはそうですが，証券作成行為自体についてそのような規定がどのように適用されるか，修正して適用すべきではないかということが論じられています。この点は，主として手形・小切手について論じられておりますので，また別に取り扱うことにします（⇨★34）。また，株券のような要因証券については，これらの規定によって証券作成行為自体が有効に成立したとしても，それだけでは有価証券としての株券が成立するわけではありません。これらの証券については，証券作成行為のほかにどういうことが問題になりますか。

N　それは，前に議論したことですが(⇨★ ***16***)，原因関係が有効に成立しているかという問題です。たとえば，株券の場合に，代表取締役が株券を作成したとしても，その原因関係となる新株発行の効力が生じていなければ，株券として成立しないということです。

T　その通りですね。無因証券の場合には，証券作成行為の効力だけを問題にすればよいのに対して，要因証券の場合には，そのほかに原因関係が有効に成立しているかどうかも問題にしなければならないわけです。

第2章　約束手形について

★*27*　T　これまでは有価証券全般について取り扱ってきました。若干ごたごたした面もあるかもしれませんが，これからは個々の有価証券ごとに論じていきましょう。これまでと重複する部分もあるかと思いますが，その部分は復習のつもりでやって下さい。手形には約束手形と為替手形があり，為替手形と法律的に同じ性質のものとして小切手がありますが，はじめに約束手形を取り上げましょう。よく利用されるものですし，仕組も単純で取り扱いやすいと思います。もっとも，約束手形を取り扱いながら，手形・小切手一般についても論じますので，前後の関係から，約束手形に特有のものか，手形・小切手に共通のものかを判断して下さい。

1　約束手形とは

T　約束手形とはどういうものですか。

M　振出人(約束手形の作成者)が一定の金額の記載をしてその金額を受取人または受取人から譲渡を受けた者に対して支払う旨の約束をするものです。

T　それでは約束手形では，だれが手形債務を負いますか。いいかえると，手形所持人はだれに対して手形上の権利を取得しますか。

M　振出人と裏書人です。それから，そのそれぞれにつき手形保証をすることができ，その場合には，保証人はそれぞれ被保証人である振出人または裏書人と同じ責任を負います。

N　裏書人は手形上の権利を譲渡する人かと思っていましたが，その人が手形上の責任を負うというのはどういうことでしょうか。

M　たしかに裏書は手形上の権利の譲渡を直接の目的とするものですが，それとならんで，裏書人は裏書により手形上の債務を負います。

T　いまM君は裏書人も手形上の債務を負うといいましたが，同じ手形上の債務を負うといっても，振出人と裏書人とではその負い方が違いますね。その点を説明して下さい。

M　約束手形の振出人は第1次的のかつ無条件の義務を負います。すなわち，手形所持人は，満期になれば，まず振出人に手形を呈示して支払を求めることができます。そういう意味で第1次的な義務を負います。また，振出人は，手形所持人が支払呈示期間内に手形を呈示しなくても，また，かりに支払拒絶証書が作成されなくても当然に手形上の責任を負います。この意味で無条件の義務を負います。これに対して，裏書人は第2次的な条件つきの債務を負います。すなわち，手形所持人が支払呈示期間——原則として満期日またはそれに次ぐ2取引日（⇨★ ***119***）——に振出人のところに手形を呈示して支払を求め，振出人が支払を拒絶した場合に限って責任を負います。支払拒絶証書の作成が免除されていないときはその作成が必要とされます。

T　その通りですね。裏書人の債務が発生するための要件の詳細についてはまた後で取り上げます（⇨★ ***132*** 以下）。

2　手形行為

★ *28*　(1)　手形上の法律行為

T　手形行為という概念が認められていますが，手形行為とはどういう行為を指しますか。

M　具体的には，約束手形では，振出，裏書および保証があげられ，為替手形では，これらのほかにさらに，引受および参加引受があげられます。このように手形行為という概念は手形全般について問題になり，また小切手についても小切手行為という概念で同様に問題になります。

T　そういうことですが，これからはいままでの検討でどういうものかが一応頭に入った約束手形の振出および裏書を中心に論じましょう。手形行為の法律上の性質はひと口にいってなんでしょうか。

N　手形行為という以上は，法律行為の一種ではないでしょうか。

T　そうですね。手形上の法律行為ということができるでしょう。

N　法律行為の一種でありながら，特に手形行為という概念を別に設ける必要があるのはなぜでしょうか。

M　手形行為は一般の法律行為と異なる性質を有するからだと思います。

T　そういうことですね。そこで，それがどのような性質を有するか，一般の法律行為とどのような違いがあるかを明らかにする必要があるわけですが，その前提として，手形行為をどのようなものとして把握するかが問題になります。

★ *29*　(2)　手形行為の定義

㋑　1元的構成と2元的構成

T　手形行為をどのように定義づけるかについて，どのような意見がありますか。

M　大きく分けると，手形行為として，手形債務の発生の面だけからとらえる見解と，手形債務発生の面と手形上の権利の移転の面との両方からとらえる見解とがあります。

T　手形債務の発生の面だけからとらえる見解というのはどういうものですか。

M　それは手形行為を「手形債務の発生原因たる法律行為」であると定義します (鈴木115頁)。

T　手形債務の発生と手形上の権利の移転との両方からとらえる見解はどのように定義しますか。

M　手形行為を手形債務負担行為と手形権利移転行為との2つからなる行為として把握します。手形債務負担行為とは，「手形債務を負担し，その成立した権利を手形に結合することを目的とする行為」であり，それは手形の作成行為によって成立します。手形権利移転行為とは，「手形上の権利を移転することを目的とする権利」であって，それは手形の交付行為によって成立すると考えます (前田32頁以下)。

T　そうです。そこで注意していただきたいのは，手形債務負担行為というのは，たんに手形債務を負担する行為というだけではなくて，それによって有価証券としての手形を完成させる行為だということです。

★ *30*　㋺　手形理論との関連

T　いま説明された2つの立場と，前に論じた (⇨★ *9* 以下) 手形理論とはどのように関連しますか。

M　2元的構成は創造説によってのみ可能だと思います。創造説によれば，手形という有価証券は，証券の作成行為という手形債務負担行為だけで成立しますから，そのほかに手形の交付行為によって成立する手形権利移転行為という概念を手形行為に含める可能性があります。それに対して，契約説や発行説によりますと，手形の作成と交付・発行とをひとつの行為とみて，その行為によって有価証券が成立すると解しますから，1元的構成しかできないことになると思います。

T　その通りです。そうすると，前に有価証券の成立時期（⇨★ *8* 以下）や有価証券の成立要件（⇨★ *21* 以下）について論じましたが，これらといまの手形行為の概念とをドッキングさせると，どういうことになりますか。

N　1元的構成によれば，有価証券の成立時期やその成立要件は，手形行為自体のそれらということになります。それに対して，2元的に構成する立場によれば，有価証券の成立時期や成立要件は手形債務負担行為のそれらであり，手形権利移転行為にはあてはまらないことになるのではないでしょうか。

T　そういうことです。前に，手形であることを認識し，または認識すべくして手形に署名すれば，手形金額を100万円と記載すべきところをまちがって1,000万円と記載してしまった場合にも有効な意思表示がなされたと認められるという議論をしましたが（⇨★ *24* 以下），それも，2元的構成のもとでは手形債務負担行為の問題だということになるわけです。

M　前に手形が無因証券であり，設権証券であり，文言証券であるとか，要式証券であるということを議論しましたが（⇨★ *13* 以下，*22* 以下），それらも手形債務負担行為の性質が反映していると考えてよいのではないですか。

T　その通りです。それらは手形債務負担行為が無因行為であり，書面行為——書面の作成を通じてなされる行為——であり，文言行為であり，さらに要式行為であることの結果だということになります。

★ *31*　㈥　2元的構成の必要性

N　手形行為を2元的に構成する考え方は創造説によってのみ可能だという先ほどの説明はよくわかりましたが，逆に創造説の立場からは2元的構成が必要的なものなのかどうか，その点はどうでしょうか。

T　それは良い質問です。創造説をとったからといって必ずしも2元的構成をとらなければならないわけではありません。げんに先ほどM君が説明されたように，創造説をとられる鈴木先生も，当初は手形行為としては手形債務負担の面のみを把握しておられたのです。問題なのは，手形権利移転行為も手形行為のなかに含ませて2元的構成をとることが妥当かどうかということです。

N　先ほども論じたように，法律行為という一般的概念のほかに，手形行為という概念を設ける必要があるのは，それが一般の法律行為と異なる性質があるからだと思います。そうだとすると，手形債務負担行為については，いままでやってきたところから，無因性，書面性，文言性あるいは要式性等の特性がありますから，これを手形行為として論ずる必要があることはよくわかりました。しかし，手形権利移転行為については，そのような特性があるのかどうか，その点はどうでしょうか。

T　M君，手形権利移転行為と一般の法律行為の関係について説明して下さい。

M　手形の譲渡は譲渡人と譲受人との契約ですから，それについては法律行為の一般原則がそのままあてはまります。ただ，普通の債権の譲渡と違って，手形については善意取得が認められる点に特殊性があります。

N　善意取得についてだけ特殊性があるというだけなら，わざわざ2元的構成の必要もないのではないでしょうか。

T　そういう疑問はもっともですが，さらに考慮しなければならないのは，手形をめぐるいろいろの法律関係は，手形債務負担行為と手形権利移転行為に分けた方が説明しやすく，逆にそうしないと説明しにくいということがあります。先ほど，M君は善意取得の例をあげましたが，この制度は手形債務負担の面の問題でなく，もっぱら手形権利移転行為に関連する問題です。1元的構成のもとでも，この制度は権利移転の面の問題だといわざるをえないと思います。手形行為独立の原則についても同じような問題があります。この原則はどちらの面の問題ですか。

M　手形債務負担行為に関連する原則です。

T　その通りです。この原則は，その呼び方だけから判断すると，手形行為一般に関する原則のように思われますが，1元的構成をとる学者のなかにも手形債務独立の原則という表現をとる見解があることからも明らかなように（石井＝鴻83頁），手形権利移転行為には関係なく手形債務負担行為に関する制度です。

N　前に問題となった（⇨★ ***13***）人的抗弁切断の制度はどちらの問題ですか。

M　それは手形行為については債務負担の面にも権利移転の面にも関係なく，手形外の法律関係から生ずる抗弁の問題です。

T　その通りです。このように，これらの3つの制度――その詳細はまた取り上げます（⇨★*81*以下）――が適用される領域を明確にするためには，手形行為について債務負担と手形移転に分けて2元的に構成することが有益です。さらに，手形債務負担行為と手形権利移転行為とは，その法的性質が異なると考えた方が説明しやすい点があります。M君，両者の性質の違いについて，どういうことが問題になっていますか。

M　手形債務負担行為が無因行為であることはこれまで論じた通りですが，手形権利移転行為は有因行為ではないかが論じられております。

N　前に手形は無因証券だという議論をしましたが，このことと手形権利移転行為は有因行為だということとは矛盾しませんか。

T　それはさっき議論したばかりですが，手形という有価証券は手形債務負担行為によって成立するわけですから，それが無因行為であれば，手形権利移転行為は有因だと考えても手形の無因証券性と矛盾するものではありません。

N　そうですね。うっかりしていました。だんだんわかってきたような気がします。

T　以上の理由から，私は手形行為を2元的に構成するのが妥当だと考えています。そこで，これからは手形行為について，手形債務負担行為と手形権利移転行為に分けて論ずることにしましょう。もっとも，この問題は，手形についての全体的な理解が前提となりますから，まだ腑に落ちない面があってもやむをえないでしょう。最後まで議論した後でまた振り返ってみて下さい。手形債務負担行為については，すでに証券作成行為の成立要件として論じていますので（⇨★*21*），ここではその復習と，先に留保していた問題，ことに他人による手形債務負担行為その他について補充することにします（⇨★*25*）。

★*32*　(3)　手形債務負担行為

㋑　単独行為

T　創造説の立場からは，手形債務負担行為は単独行為といわれていますが，その点について説明して下さい。

M　はい。手形債務負担行為は，相手方との意思表示の合致を必要とせず，手形を作成する振出人あるいは手形に署名する裏書人の意思表示だけで成立する単独行為であるということです。

N　契約説によれば，手形行為は一般的に契約とされるのに対して，手形行為を手形債務負担行為と手形権利移転行為に分ける創造説のもとでは，手形債務負担行為は単独行為で，手形権利移転行為は契約だと構成することになるわけですね。

T　まったくその通りです。まさにN君は一を聞いて十を知るという感じですね。

N　どうもありがとうございます。ところで，手形債務負担行為を単独行為として構成することによって，なんらかのメリットがあるでしょうか。

M　手形行為者の意思表示だけで成立する行為だと構成することによって，その成否が，手形授受の相手方あるいは第三取得者の側の事情，たとえば，その者が無能力者であるとか，一定の事実について悪意だというような事情によって左右されないことになり，手形取引の安全に役立ちます。たとえば，手形授受の相手方が一定の事実につき悪意であれば手形債務が発生しないとすると，その後の善意の取得者に対する関係でも手形債務を負わないことになって手形取引の安全を害することになりますが，手形債務はそのような相手方の事情等によって影響を受けないと解することによって，善意の取得者が保護されることになります（たとえば⇨★ ***34***）。

N　わかりました。

★ *33*　回　無因行為，書面行為，文言行為

T　手形債務負担行為が，無因行為であり，したがってまた，必然的に書面行為であり，かつ文言行為であるということは，すでに論じました（⇨★ ***13***以下）。なお，ここで手形行為の文言行為性について，若干の補足をしておきましょう。それは，手形債務の内容は手形上の記載によって決せられるということですが，このことから具体的にどのような結果が生じますか。

M　上のことを裏からいうことになりますが，手形債務の内容を手形の記載以外の事情によって判断してはならないということになります。

N　例をあげて説明していただけませんか。

M　それは，たとえば，手形上に満期日として11月31日と記載されていたとして，そのような日は存在しませんから，それを11月30日の意味に解するか，12月1日の意味に解するかというような場合に問題になります。

N　その場合にも，文言性ということからいうと，振出人と受取人とがどちらを満期日とする意思であったかという当事者間の合意の内容によって満期日を決めることは許されないということですね。しかし，そうすると，この場合はどういうふうに判断するのですか。

M　その記載からどちらと判断するのが社会通念かということで決めることになります。

T　N君なら社会通念としては11月30日と解しますか，12月1日と解しますか。

N　やはり，11月の最後の日と解することになるのではないでしょうか。

T　一般にも，そのように解されています。

N　社会通念からいってもどちらとも決め手がない場合はどうしたらよいのでしょうか。

M　たとえば，「A会社甲」というような記載がなされた場合に，それは甲がA会社の代理人として署名したのか，それともA会社というのはたんなる肩書で，甲自身を示したものなのか，社会通念としてはどちらとも解されるので，その場合には，手形所持人に有利と解して，所持人がどちらかを選択して権利を行使することができると解されています。

N　それはわかりますが，所持人がA会社に請求しても，甲がA会社を代理する権限がないときはA会社は手形上の責任を負いませんが，その場合はどうなりますか。

T　その場合は，甲の無権代理人としての責任が問題になります。

N　わかりました。手形行為の文言行為性ということも，手形取引の安全あるいは手形所持人の保護を図るということにあるのでしょうから，いまの解釈はもっともだと思います。

T　そういうことですね。さっきN君は，先ほどの例で満期日がどちらかについて，振出人と受取人との間の合意の内容によって決めないで手形の記載から判断することだといいましたが，このことも手形取引の安全を図ることになるわけです。というのは，振出人と受取人との合意の内容は，その後の手形取得者にとってはわかりようがないですから，それで決められたのではその後の取得者が不利を受けるので，あくまで手形の記載だけから判断することによって，手形取引の安全を図るのが，手形行為の文言性ということになるわけです。

★ *34*　㈧　手形債務負担行為の成立要件，他人による手形債務負担行為

T　手形債務負担行為の成立要件は，証券の作成行為の成立要件として論じたこと（⇨★ ***21***）がそのままあてはまります。すなわち，そこで論じた形式的要件と実質的要件をみたして，はじめて手形債務負担行為が成立するわけです。他人による手形債務負担行為についても，「他人によって証券が作成された場合の要件」としてそこで論じたことがあてはまります。方式として代理方式と機関方式とがあること，実質的要件として代理権ないし権限が与えられている必要があることなど，そこで論じた通りです。ここでは，そこで留保しておいた問題について補足したいと思います。

ⓐ　代表権の制限，表見代表取締役，表見代理

T　はじめに代表取締役の権限について説明して下さい。

M　代表取締役は営業に関する一切の裁判上および裁判外の権限を有し（商261条3項・78条1項），その権限に加えた制限は善意の第三者に対抗できないもの（商261条3項・78条2項，民54条），すなわち包括的不可制限的権利とされています。

T　そうですね。そこで，たとえば，取締役の権限について，100万円以上の手形を振り出すには取締役会の承認を要するという制限が付されたにもかかわらず，代表取締役が取締役会の承認を得ないで200万円の手形を振り出した場合の法律関係はどうなりますか。

N　代表取締役の権限につき準用されている民法54条によれば，善意の取得者に対する関係では制限違反であることを対抗できないことになるわけですが，そのこととの関係で疑問なのは，その場合に有価証券としての手形が完成するのはどの時点かということです。代表取締役が手形を作成した時点でしょうか，それとも善意の第三者が手形を取得した時点でしょうか。

M　それは手形理論によって異なります。契約説ですと，善意の第三者が手形を取得した時点ということになると思いますが，創造説ですと，手形債務負担行為によって有価証券としての手形が成立するわけですから，手形の作成によってそれが成立します。

N　そうすると，手形の振出につき代表権の制限がなされているということは，どのような影響を持つことになりますか。

T　代表取締役の権限は包括的であって，それに対する制限は内部的なものであるという説明がなされているわけですが，創造説の立場によれば，それを手形行為に適用する場合には，代表権の制限の効果は，手形債務負担行為については及ばないことになり，したがって代表取締役が手形を作成すれば有効に手形が成立し，それが影響するのは手形権利移転行為についてだけだということになります。

M　いま先生は代表権の制限が手形権利移転行為に影響するとおっしゃいましたが，そうすると，悪意の取得者は手形上の権利を取得しない——無権利者である——ということになります。ところが，この場合に悪意の取得者に対しては人的抗弁を対抗できるという考え方もありますが，この点はどう理解したらよいのでしょうか。

T　無権利者か人的抗弁の対抗を受ける者かの区別についてはまた後で取り上げますが（⇨★ ***85*** 以下），私としては手形の振出についての制限である以上，手形行為に関する制限と考えるべきで，しかも手形債務負担行為は単独行為で相手方の主観的事情——善意か悪意かというような事情——に影響されない行為ですから，結局，手形権利移転行為の問題になると考えます。

N　権利移転行為の問題だということはわかりましたが，具体的にはどうなるのですか。

T　それはまた後で取り上げますが（⇨★ ***42***），民商法の一般原則が適用されるほか，善意取得制度（⇨★ ***92*** 以下）が適用されて，取得者が保護されることになります。

N　わかりました。

T　以上に述べたことは，支配人の権限の制限（商38条3項）の場合についてもそのまま妥当します。それでは，次に，表見代表取締役や表見支配人についてはどうですか。

M　この点は代表権の制限の場合と同じように考えられております。

N　ということは，代表権を有するものと認められる名称を与えられた者

(商262条)，または本店または支店の営業の主任者であることを示すべき名称を与えられた使用人(商42条1項)が手形を作成すれば，有価証券としての手形が成立し，相手方の善意・悪意は手形権利移転行為の問題になるということですか。

T　その通りです。それでは最後に表見代理について取り上げましょう。表見代理と手形行為との関係について，判例と学説が対立しておりますが，それを説明して下さい。

M　民法110条の表見代理を例にとると，同条にいう第三者とは，手形授受の相手方にかぎられるか，それともその後の取得者も含まれるかというものです。すなわち，甲がA代理人甲という名義で（代理方式で）あるいは甲が直接A名義で（機関方式で)，手形をBに振り出した場合において，Bが甲に権限ありと信ずべき正当の理由を有しているときは，同条の適用があると一般に解されておりますが，Bがそのような正当事由を有しない場合において，Cが甲に権限ありと信ずべき正当の理由を有しているときは同条が適用されるか——Aが手形債務を負うか——が問題とされており，判決はそれを否定しておりますが(最判昭36・12・12民集15巻11号2756頁)，学説の多数はこれに反対して，Cが正当の理由を有しているときは，同条の適用を認めるべきだと解しております。

図1

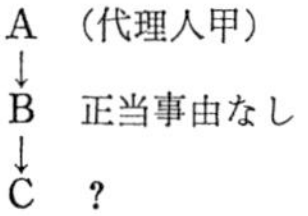

A　(代理人甲)
↓
B　正当事由なし
↓
C　?

N　判例がCにつき民法110条の適用を否定している理由はどういう点でしょうか。

M　その点については判例では説明はないのですが，民法110条は「第三者」として直接の相手方Bしか予定していないこと，その後の取得者Cが甲に権限ありと信ずべき正当の理由を有することは通常考えられないことなどが理由なのではないかという解釈がなされています。

N　なるほど。Cにとっては，A代理人甲との間に直接の取引関係がありませんから，Aと甲とがどんな関係にあるかわかるはずがなく，したがって，Cが甲に権限ありと信ずべき正当の理由を有することは考えられないということはもっともですね。

T　そうなのです。ことに機関方式の場合（⇨★ ***25***）には，Cにとっては，

Aの署名が甲によってなされたことさえわからないのが普通であり，その場合には甲に権限ありと信ずべき正当の理由を有するなどということはありえないわけです。

N　そうだとすると，多数の学説が判例に反対して，Cについても民法110条の適用を認めるべきだと解しても，結果的にCは保護されることが稀ですから，あまり意味がないことになりますね。

T　その通りです。そこで，実質的にもCを保護するためにはどうしたらよいかが問題となるわけです。

N　先ほど，創造説の立場では，手形債務負担行為の性質として，それは単独行為で，それが成立するかどうかは手形授受の相手方または第三取得者の側の事情に左右されない行為だということがあげられましたが（⇨★ ***32***），Bなり Cなりが甲に権限ありと信ずべき正当の理由を有する場合にAの手形債務が成立するということは，上の立場と矛盾することになりませんか。

T　その通りです。結局，Cを実質的に保護するためには，手形理論についてどのような立場に立っても，Cが「正当の理由」を主張・立証することを要しない理論構成が必要であり，さらに創造説によれば，理論的にもそのような構成が必要になるわけです。そこで，どういう構成が考えられますか。

M　一般の表見法理による考え方や民法715条の使用者責任による考え方もありますが，最近は，Aが甲に対して手形行為に関連して代理権を与えた場合には，甲がその代理権を越えて手形行為をした場合にも，Aは手形債務を負担するという考え方もあります（前田77頁以下）。

N　紹介された最後の考え方は，たとえばAが甲に100万円の手形を振り出す代理権を与えたのに，甲が200万円の手形を振り出してしまった場合には，Aは200万円の手形上の債務を負担するという考え方ですか。

M　その通りです。先ほど，代表権の制限は手形債務負担行為には及ばないという議論をしましたが，権限踰越の表見代理の場合にもそれと同じように考えて，手形行為に関連して代理権を与えた以上は，その制限は手形債務負担行為には及ばないと考えるものです。

N　そうすると，代表権の制限の場合と同じように，Aのもとで手形債務が発生しますから，あとはBなりCなりは権利移転行為の問題として保護されるということになりますね。この考え方は，創造説の立場とも一致し，しかも結果的にも，Cの保護も十分ですし，手形行為に関連して代理権を与えることは慎重でなければならないはずですから，Aに対しても不当に不利益を与えるわけではなく，妥当な考え方ではないでしょうか。

T　そのように考えれば，表見代理の場合も，代表権の制限に違反した場合あるいは表見代表取締役の場合と同じように理解することができて，理論的に一貫するということができるでしょう。以上でこの問題は切り上げることにして，次に無権限者の責任の問題について取り上げましょう。

★ *35*　ⓑ　無権限者の責任

T　M君，無権限者の責任に関して説明して下さい。

M　はい，手形法8条は，代理権を有しない者甲が代理人として手形に署名したときは，甲自身がその手形により義務を負うと規定しております。この規定は無権利代理人の責任について定めている民法117条を手形法的に定型化したものと説明されています。

N　手形法8条は直接には無権代理人の責任についての規定のようですが，手形の偽造者については適用なり類推適用されるのでしょうか。

M　かつては手形行為の文言行為性を根拠に，偽造者にはその適用ないし類推適用を否定するのが通説でしたが，最近はその類推適用を肯定する見解も有力になり，最高裁昭和49年6月28日判決（民集28巻5号655頁）もこれを肯定しております。

N　いま触れられた手形の文言証券性と手形偽造者の責任との関係はどのように理解したらよいのでしょうか。

T　かつては偽造者の名が手形上に表示されていない以上，手形行為の文言性から手形債務を負わせる基礎がないという見解が一般的であったのですが，先ほども論じたように（⇨★ *33*），そもそも手形行為の文言性とは，権利の内容が証券の記載によってのみ決められ，手形外の事情によっては決められないとすることによって，手形取得者を保護することにあるわけですから，これを手形署名者が手形債務を免れるための根拠として利用することを許すべきではなく，したがって偽造者にも手形上の責任を認めるべきだと考えます。

N　わかりました。表見代理等によって本人Aが責任を負う場合にも，無権限者甲の責任は認められるでしょうか。

T　それは認められるべきです。表見代理の規定は取引の相手方を保護する規定であって，表見代理人を保護する規定ではないからです。判例もこれを認めております（最判昭33・6・17民集12巻10号1532頁）。

★36　(4)　手形権利移転行為の性質

㋑　問題点

T　次に手形権利移転行為について論じましょう。手形債務負担行為が無因行為であることは異論の余地がありませんが，手形権利移転行為についてはこの点が争われております。具体的にどのような事例で問題になっているのか説明して下さい。

M　はい。AがBに手形を振り出し，BがCに，たとえば売買代金支払のためにその手形を裏書譲渡したところが，Cが売買の目的物を交付しないのでBがこの売買契約を解除した場合に，CがAに対して手形上の権利を行使することができるかという問題です。

図2

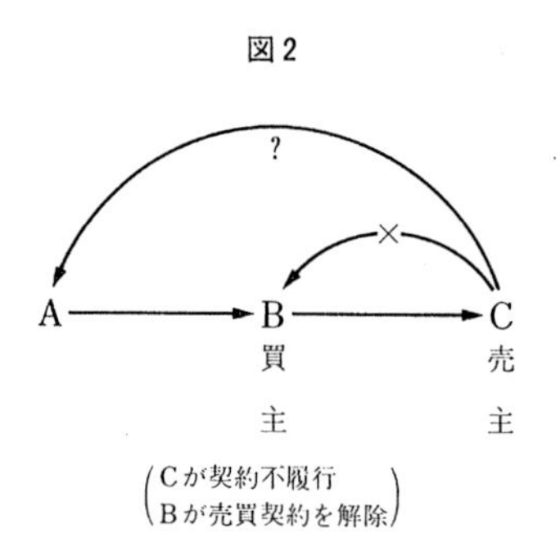

★37　㋺　結果の妥当性

N　Cが売買の目的物を交付する契約を履行しないでBに解除されたということは，Bに対する売買代金請求権を失ったということですが，それでいながらAに対して手形金を請求できるとすると，売買代金の支払を受けたのと同じ結果になってしまいますね。

M　たしかにそうですが，CのAに対する権利行使を認める立場からは，CがAから支払を受けた場合にはそれをBに対して交付しなければならないということになります。そしてまた，その立場からはCのAに対する権利行使を認めないと，Aが利得をしてしまうことになると主張しております。

N　なるほど。しかし，BC間の契約が解除された以上，Cは原状回復義務を負いますから，Bに対して手形を返還する義務を負ったことになり，それを履行してBが手形を所持するにいたれば，BがAに対して手形金の請求をすることができるはずですね。

T　その通りです。したがって，理論的な問題は後回しにして，実質論としては，CのAに対する権利行使を認めて取立金をBに交付させるべきか，それともCのAに対する権利行使を認めないで，Aに対する権利をBに行使させるべきかということになるわけです。

N　しかし，BがCの契約不履行による解除権を行使して手形の返還を請求しているにもかかわらず，CがAに対して手形金の請求をすることができると解することは，かりにその取立金をBに交付すべきだと解するとしても，どうも腑に落ちません。Bとしては，別にCに手形金の取立を依頼しているわけではなく，手形の返還を請求しているのですから……。

M　N君のいうことはもっともだと思います。BのCに対する手形の返還請求権とCのAに対する手形金請求権とは両立しえないという主張もなされています。そしてまた，実質論としても，CがBに対して手形の返還義務を負いながらそれを履行せずにAから手形金の支払を受けた場合に，それをBに交付することは考えられないということもいわれています。

N　まったく同感です。

★ *38*　㈥　判例・学説の変遷とそれぞれの理論的根拠

ⓐ　CのAに対する権利行使を肯定する考え方――人的抗弁の個別性――

T　2人ともCのAに対する権利行使を否定することに賛成のようですが，比較的最近までは，これを肯定するのが定説だったといってもいいでしょう。

N　その理論的根拠はどういうものですか。

T　それは人的抗弁の個別性というものですが，その基礎には手形行為の無因性があげられるでしょう。人的抗弁の個別性は手形行為の無因性から派生するものということができるでしょう。

N　その場合の手形行為の無因性ということは，BC間の原因関係が消滅してもCの手形上の地位には変わりがないということだと思いますが，人的抗弁の個別性というのはどういうものですか。

T　BC間の原因関係が消滅すると，BはCに対してそのことを主張して支払を拒むことができます。このように，Bが原因関係の消滅を理由に支払を拒みうることを人的抗弁というのですが（⇨★ *82* 以下），AがこのBのCに対して有する人的抗弁を援用してCに対して支払を拒むことができるかに関して，

Bの有する人的抗弁はBC間で個別的に主張できるにすぎず，AはBC間のそのような事由とは無関係だから支払を拒むことができないというものです。手形行為の無因性，すなわち，さっきN君のいったように，Cの手形上の地位は，Aに対する関係では，BC間の原因関係の消滅により影響を受けないということがその基礎にあるのです。

★ *39*　ⓑ　CのAに対する権利行使を否定する考え方——手形権利濫用論および手形権利移転行為有因論——

T　最近の判例は，従来の立場を変更して，CのAに対する権利行使を否定することに確定したということができます。学説では，従来の見解をそのまま維持しているものもありますが，CのAに対する権利を否定する見解も多くなっており，どちらが通説ともいえない状態になってきました。はじめに最近の判例の考え方を取り上げましょう。M君，この点について説明して下さい。

①　近時の判例の立場——手形権利濫用論——

M　最高裁昭和43年12月25日大法廷判決（民集22巻13号3548頁）は，CがBに対する債権の支払確保のために手形所持人となった場合につき，「その債権の完済を受け……たときは，……手形上の権利を行使すべき実質的理由を失ったものである。然るに，偶々手形を返還せず手形が自己の手裡に存するのを奇貨として，自己の形式的権利を利用して振出人から手形金の支払を求めようとするが如きは権利の濫用に該当し，Aは……手形法17条但書の趣旨に徴し，所持人に対し手形金の支払を拒むことができる」と判示しました。この考え方が手形権利濫用論と呼ばれるもので，その後の最高裁判決もこの考え方を踏襲しております（昭45・3・31民集24巻3号182頁，昭48・11・16民集27巻10号1391頁，昭57・9・7判時1055号129頁）。

T　そうですね。昭和43年判決は従来の判例を変更することをはっきりと意識して，大法廷で判決しているわけです。学説のなかには，これと同じ考え方をとっているものもあります。

★ *40*　②　手形権利移転行為有因論

T　次に手形権利移転行為有因論を取り上げましょう。M君，これについて説明して下さい。

M　それは手形行為を手形債務負担行為と手形権利移転行為との2元的構成

をとる創造説を前提とします。そして，手形債務負担行為はこれまで論じてきた通り無因行為とみるわけですが，手形権利移転行為は原因関係の消滅，不存在等によって影響を受ける有因行為であり，ＢＣ間の原因関係が消滅すればＢＣ間の手形権利移転行為もその影響を受けてその効力を失い，手形上の権利がＢに復帰してＣは無権利者になると構成し，ＣのＡに対する権利行使を否定します。

Ｎ　Ｃが無権利者になるということは，盗取者や拾得者と同じ法的地位に立つということですね。

Ｔ　そういうことです。盗取者や拾得者に対しては，だれでも支払を拒むことができますから，いま問題にしている場合にも，Ｃをこれらの者と同じ地位にして，ＢだけでなくＡも，Ｃに対して支払を拒みうるようにしたのが手形権利移転行為有因論だといってもよいでしょう（詳細は，前田 46 頁以下）。

★ ***41***　③　両者の比較――手形理論との関係――

Ｎ　結局，ＣのＡに対する権利行使を否定するという，同じ結論を導くために権利濫用論と権利移転行為有因論との２つの理論があるということですね。この議論をうかがっていて，手形債務の発生要件に関する議論の対立を思い出しました。手形を作成しただけで手形の交付がない場合に手形署名者に責任を負わせるための理論として，創造説と一般条項としての権利外観理論とが対立しているわけですが（⇨★ ***9, 10***），ここでもＣのＡに対する権利行使を拒むための理論として，有因論と一般条項としての権利濫用論とが対立しているのは，きわめて興味深いと思います。

Ｍ　しかも，権利外観理論にしても権利濫用論にしても，このような一般条項は，手形理論として契約説や発行説など創造説以外の説によった場合にとられるのに対して，創造説によった場合には，いずれの問題についてもそのような一般条項にたよる必要がないことになります。

Ｔ　その通りです。契約説や発行説のように手形行為を１元的にとらえる立場では，手形行為の無因性を否定するわけにはいきませんから，ＣのＡに対する権利行使を拒むためには一般条項によらざるをえないことになります。手形権利移転行為有因論は，さっきＭ君も触れたように，手形行為につき２元的構成をとる創造説のもとでのみ可能な理論だということになります。

N　権利外観理論について，一般条項に共通の問題点として，その適用範囲が明確でない点が指摘されましたが（⇨★ ***10***），権利濫用論にはそのような問題点はないのでしょうか。

M　権利濫用論によれば，手形上の権利者はBではなくて依然としてCですから，Bは，たとえばCが手形を喪失したり破棄したりした場合に公示催告手続（⇨★ ***123***）をとることができず，また時効中断の手続もとりえず，これらの手続はCがとりうることになりますが，これが適当かが問題とされています。

N　なるほど。手形権利移転行為有因論によると，Bは，手形上の権利者ですから，問題なく，これらの手続をとることができるわけですね。手形権利移転行為有因論に対する批判としては，どのようなものがありますか。

M　基本的な問題として，創造説自体に対する批判がありますが，その点はともかくとして，有因論に対しては，第1に，BC間で原因関係が一部だけ消滅した場合にどうなるか，その場合にはその部分だけ手形上の権利がBに復帰して，BとCとに手形上の権利が分属することになると，一部裏書を無効とする手形法12条2項の趣旨に反することにならないか等という点が指摘されています。

N　しかし，その点は結果的には権利濫用論でも同じように問題になりますね。その場合にCが手形金全額について権利を行使するのは権利濫用ではないかという問題があるのではないでしょうか。

T　その通りです。一部裏書とは，手形金額100万円のうちの10万円について裏書をすることをいうのであり，結果的に手形上の権利が分属することは一部保証や一部引受の場合に手形法も当然に予定していることであって，一部裏書に当たるわけではありません。この点についてはまた後で触れる機会があると思います（⇨★ ***146***）。

M　手形権利移転行為有因論について指摘されている第2の問題は，Cが無権利者になるとすると，Cからの譲受人Dは善意取得によって保護されることになり，重過失のないことが要件とされますが，そうすると，有因論によらなければ人的抗弁切断制度によって保護され，重過失のないことが要件とされないのと比較して，手形取引の安全が害されるのではないかという点です。

T　その点についても，それらの制度のところで触れますが（⇨★ ***105***），一言だけ説明しますと，善意取得と人的抗弁切断とのいずれが適用されるかは，Cの地位によって決まります。そしてBC間の原因関係が消滅した場合には，CはBに対して手形を返還する義務を負った点で，その地位はそうでない場合と基本的に異なるわけですから，Cからの取得者Dが保護されるための要件も変わってくるのは当然ではないかと思います。

N　手形理論として創造説をとる以上，この問題についても，それを前提とする手形権利移転行為有因論によって解決すべきではないかと考えます。

M　同感です。

★ *42*　㊁ 成立要件

N　このように，手形行為につき手形債務負担行為と手形権利移転行為との2元的構成をとると，手形債務負担行為についてその成立要件が問題となったように，手形権利移転行為についてもその成立要件が問題となるのではないでしょうか。

T　その通りです。しかし，その点については，すでに述べたように(⇨★ *31*)，意思表示ないし契約等に関する民商法の一般原則がそのままあてはまり，その上に善意取得制度の適用があると考えればよいわけです。

N　なるほど，手形債務負担行為の場合のような特別の考察の必要はないということですね。細かいことですが，準禁治産者の手形権利移転行為については，民法12条はどのように適用されますか。

M　それは3号の「重要ナル動産ニ関スル権利ノ得喪」の適用があると解されています。

N　その手形の金額によってそれに当たるかどうかが判断されるということですか。

T　その通りです。

3　約束手形の使われ方——経済的機能——

★ *43*　(1)　約束手形の利用方法

T　それはどういう場合に使われますか。

M　それは支払手段として使われます。買主Aが売主Bに売買代金を支払う場合には，Aはその売買代金の金額を手形金額として記載してBを受取人として記載すればよいわけです。

N　小切手も支払手段として使われると聞いておりますが，そうすると約束手形と小切手とは同じ使われ方をするのでしょうか。

T　どちらも支払手段として使われる点では同じですが，同じ支払手段であっても，基本的に違う点があります。どの点ですか。

M　約束手形の場合には満期の記載をすることができるのに対して，小切手の場合には呈示されたらいつでも支払わなければならないという，一覧払とされている点が違います。

T　そうですね。したがって約束手形の場合には期限付の債務を支払う手段として使われるのに対して，小切手の場合には即時払の債務の支払のために使われるということになります。私も銀行から事情があって借金をしたことがありますが，その時は借入額を手形金額とし，3か月後の日を満期日として，その銀行を受取人とする約束手形を振り出しました。このように借主に約束手形を振り出させて貸付を行うことを手形貸付といいます。

N　手形割引という言葉もありますが，それはどういうものでしょうか。

M　それは，たとえば買主Aから3か月後を満期日とする約束手形の振出を受けた売主Bが，満期日まで待てないで即時に現金が欲しいという場合に，それを銀行などの金融業者に裏書譲渡して，手形金額から満期までの利息を差し引いた現金を受けとることです。金融業者は満期日にその手形を振出人に呈示して支払を受けることになります。

T　そういうことですね。金融機関にとってはそれによって，利息を受けられますから，それは手形貸付や証書貸付（借用証書を徴してする貸付）とともに重要な与信業務のひとつになっているわけです。この場合には，約束手形が信用の手段として使われていることになるわけです。

★*44*　(2)　約束手形を利用した場合の利点

N　そのように支払手段として約束手形を利用した場合のメリットはどこにあるのでしょうか。たとえば，先ほど，売買代金の決済のために買主から売主に3か月後を満期とする手形を振り出すことが例としてあげられましたが，そういうふうにするのと，そうしないで3か月後に売買代金を支払うのと，どういうふうに違うのでしょうか。

T　それはいい質問ですね。その点については，振出人となる買主の側からのメリットと受取人になる売主の側からのメリットの両面から考えられますね。

㋑　買主・振出人にとっての利点

T　はじめに，買主・振出人にとってのメリットを考えてみましょう。

M　それは現金で売買代金を支払う手間を省くことができ，またそれによる現金の紛失や勘定違い等の危険を避けることができる点だと思います。

N　しかし，手形を振り出した場合でも満期が到来して手形金を支払うときは現金支払の手間と危険がありますから，同じことではないでしょうか。

M　いまの説明は不十分でした。約束手形を振り出す場合には，振出人は通常，自分が当座勘定取引をしている銀行店舗を支払場所として記載します。そうすると，手形所持人は満期に手形を支払場所として記載された銀行店舗に呈示することになります。そして支払場所として指定された銀行は，振出人との間の当座勘定取引に基づいて，手形所持人に手形金を支払い，振出人の当座預金から手形金額を引き落とすことになります。

N　なるほど。振出人は，手形に取引先の銀行店舗を支払場所として記載することによって，現金支払の手間を省き，その危険を避けることができることになるわけですね。

T　そういうことです。支払場所の記載の意味についてはまた後で取り上げることにしましょう（⇨★ *53*）。次に受取人となる売主の側のメリットをあげて下さい。

★ *45*　㋺　売主・手形所持人にとっての利点

ⓐ　代金取立の簡便さ

M　売主の側からみると，第1に，代金の取立が簡便だというメリットがあります。というのは，これも振出人が銀行店舗を支払場所として記載した手形に関することですが，そのような手形を受け取った者は，手形金の支払を受けるためには，自分でわざわざ支払場所である銀行店舗に出向く必要がなく，自分の取引銀行にその手形の取立を委任することができます。取立委任を受けた取引銀行も，わざわざ支払場所まで出向いていく必要はなく，手形交換所を通じて手形を呈示して支払を受け，取引先である手形所持人の預金口座に入金するだけでよいのです。

T　その通りですね。取立委任の方法についてはまた後で取り扱うことにしましょう（⇨★ ***110*** 以下）。

N　手形交換所というのは，どういうことをするところですか。

T　手形交換所というのは，全国に200近くあります。それぞれの地域の銀行またはそれと同視される金融機関（信用組合，各種協同組合等）が参加して，手形・小切手その他の証券の決済の事業を行うものです。その決済方法の概略は次の通りです。すなわち，各加盟銀行は毎日午前11時に手形交換所に集まって，自分が取立委任を受けた手形・小切手等をそれぞれの支払場所である銀行に呈示します。このように手形・小切手等を呈示する銀行を持出銀行といいます。そこで手形・小切手等の呈示を受けた銀行——これを支払銀行といいます——は，それを自分の銀行に持ち帰って，振出人の当座預金残高の確認や印鑑照合等をして，支払うべきものは振出人の当座預金からその額を引き落とし，残高不足，印鑑相違等で支払えないものは，翌日の午前11時までに手形交換所を通して持出銀行に返還することになります。これを不渡返還といいます。

N　支払うべきものは振出人の当座預金から引き落とすことはわかりましたが，その分をどうやって手形所持人に支払うのですか。

T　取立委任をした手形・小切手等の所持人と持出銀行との関係では，取立委任がなされると，その所持人の持出銀行における預金口座に増額記帳されます。また持出銀行と支払銀行との関係では，手形を交換した日に，それぞれが日本銀行に持っている当座勘定の口座に増額（持出銀行の場合）または減額（支払銀行の場合）の記帳をすることによって決済します。

図3　手形の動き

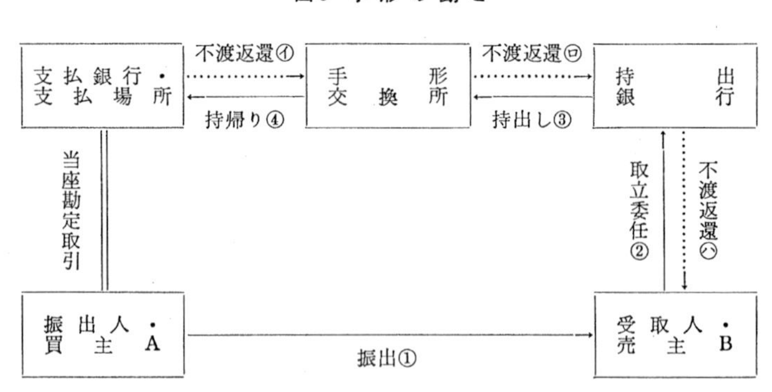

万一，その手形が不渡返還になったときは，日銀の口座の増額記帳，減額記帳を取り消し，また手形所持人の持出銀行における預金口座の増額記帳も取り消すことになります。

N　そうすると，手形の取立委任をした手形所持人にとっては満期の翌日の午前11時以降に手形が支払われたことを確認できるということになりますか。

T　その通りです。正確にいうと，手形交換所に手形を呈示した日の翌日の午前11時以降ということです。

★*46*　ⓑ　代金取立の確実さ

T　売主にとってのメリットの第2はなんですか。

M　第2に代金の取立が確実だということです。というのは，やはり銀行店舗を支払場所とする手形についてですが，振出人につき，手形交換所で呈示された手形が6か月間に2度不渡になったときは，手形交換所規則に基づきその手形交換所の全参加銀行（加盟銀行よりやや範囲が広くなりますが，詳細は省略します）が2年間その振出人との間の当座勘定取引および貸出取引をすることが禁止されます。これを銀行取引停止処分――不渡処分ということもあります――といいます。振出人にとっては，この処分を受けることは事実上経済活動が不可能になることを意味しますから，そのような事態が生じないようにつとめることになり，その結果手形の支払が確実だということになります。

T　その通りですね。ほかにまだメリットがありますか。

★*47*　ⓒ　融資を受けられる利益

M　第3に，このように手形の支払が確実なので，手形所持人は先ほど説明された手形割引の方法により，またはその手形を担保に入れて借入をする方法により，満期日到来前に現金を入手できやすくなります。

T　それはいいところに気がつきましたね。そのような手形を担保に借入をすることを商業手形担保貸付といいますが，それは後で取り上げるかくれた質入裏書の方法によってなされます（⇨★ ***115*** 以下）。

㋩　銀行店舗を支払場所とする約束手形

N　今までの説明をお聞きしますと，結局，振出人の側にとっても，また手形所持人の側にとっても，約束手形を利用することというよりも，銀行店舗を支払場所とする約束手形を利用することにより利点を享受することができるということですね。

T　その通りです。その意味で，約束手形というのは銀行取引と密接な関係があるということができ，また銀行取引を通じて利用しなければあまり利点がないということになりますね。

4　約束手形の振出が原因関係に及ぼす影響

★ *48*　(1)　原因関係が存続するか――「支払のために」と「支払に代えて」――

T　手形が振り出されるについては，その原因となる法律関係――たとえば消費貸借（手形貸付の場合）や売買契約――があり，これを原因関係といっていること（⇨★ ***12***），そして原因関係の不存在，無効または消滅が手形関係にどのような影響を与えるかということ――手形債務負担行為には影響を与えないが（⇨★ ***13*** 以下，***33***），手形権利移転行為には影響を与える（⇨★ ***36*** 以下）こと――についてはすでに取り上げました。ここでは逆に約束手形が振り出された場合に，それが原因関係にどのような影響を与えるかについて検討しましょう。M君，問題点を説明して下さい。

M　はい。たとえば，買主Aが売買代金相当額を手形金額とする約束手形を売主Bを受取人として振り出したとします。この場合に，BのAに対する売買代金債権はAのBに対する約束手形の振出によって消滅するか，それとも存続しているかという問題です。

N　Aが手形を振り出してもBに対する売買代金債務が消滅しないとすると，AはBに対して手形債務と売買代金債務の二重の債務を負担することになりますか。

M　その通りです。しかし，そうだからといって，BがAに対して二重に権利を行使できるわけではなく，Aから手形債務の履行を受ければ，Aの売買代金債務も消滅します。

N　BがAから手形の振出を受けた場合には，いまMさんがおっしゃったように，その手形上の権利を行使することによって売買代金を回収することができるわけですが，それにもかかわらず売買代金債権も存続しているかどうかを問題にするのは，どういう実益があるのでしょうか。

M　一般には原因関係上の権利の消滅時効期間は手形上の権利の消滅時効期間より長いのが普通ですが，両方の権利が併存しているとすると，Bとしては，手形上の権利が時効で消滅しても，原因関係上の権利を行使できるという利点があります。

T　M君のあげたほかに，たとえば原因関係が売買契約である場合には，売主は売買の目的物に対して売買先取特権を有していますが（民311条6号・322条），手形の振出により売買代金債権が消滅するとすると売買先取特権が消滅してしまいます。ところが売買代金債権が存続するとすると，Aが債務を履行しない場合には，Bは先取特権を行使できるという利点もあります。

N　なるほど，両方の権利を併存させる実益がよくわかりました。そうだとすると，Bが約束手形の振出を受けた場合にも，原因関係は消滅しないというのが原則だと解すべきではないでしょうか。

T　その通りです。特にAB間で原因関係を消滅させて手形関係だけで決済するという合意がなされたと認められないかぎりは，手形関係と原因関係は併存すると考えられております。そして，手形上の権利と原因関係上の権利とが併存する場合には，手形は原因関係上の債務の「支払のために」振り出されたといい，特に原因関係上の権利を消滅させる合意がなされた場合には，手形は原因関係上の債務の「支払に代えて」振り出されたといいます。

N　そうすると，手形が支払に代えて振り出されたという合意がなされたことが認められないかぎりは，支払のために振り出されたことになるわけですね。

T　その通りです。

N　どういう場合に支払に代えて手形を振り出すという合意がなされることになるでしょうか。

M　先ほど私は原因関係上の権利の時効期間は手形上の権利の時効期間より長いのが普通だといいましたが，原因関係上の権利が短期消滅時効の対象となっている場合（民170～174条参照）には，原因関係を消滅させる合意がなされる可能性があるのではないでしょうか。

T　たしかに考えられますね。

★ *49*　(2)　狭義の「支払のために」と「担保のために」

N　手形が支払のために振り出された場合には，手形上の権利行使には手形の呈示が必要なはずですが，原因関係上の権利行使についてはどうなのでしょうか。手形の呈示なしで権利を行使できるとすると，手形を他に譲渡して所持しない状態になりながら原因関係上の権利を行使するという結果になってしまいますが……。

T　もっともな疑問ですね。そのような結果を阻止するために，原因関係上の権利行使に際して振出人は受取人に対して，手形と引換えでなければ支払わないという抗弁——同時履行の抗弁——を主張することができると解されています。

N　そうすると，手形上の権利行使とみても原因関係上の権利行使とみても，結果的には大差ないということですね。

T　その点はN君のいう通りです。ただ，若干差異があるのは——あるいは，若干の差異をつけるためにといった方が適切かもしれませんが——，手形上の権利行使は当然に手形と引換えでなければならないのに対して，原因関係上の権利行使は振出人が手形と引換えにのみ支払うという抗弁を主張してはじめてそのような効果を生ずると解するのが一般です。

M　もうひとつ問題なのは，債務履行の場所に関してです。手形債務の場合は，履行場所は手形に記載された支払場所，その記載がないときは振出人——債務者——の営業所または住所とされます（商516条2項）。そこで証券が呈示されて履行の請求がなされないかぎり履行遅滞に陥りません（商517条）。すなわち取立債務です。ところが原因債務の場合は，特約がないかぎり，履行場所が債権者の営業所または住所とされる持参債務で（民484条，商516条1項），期限が到来すれば，債務者は，履行の提供をしないかぎり，履行遅滞に陥ります（民412条1項）。この関係をどのように理解するかという問題があるように思います。

N　しかし，振出人としては，受取人が手形を他に譲渡してしまっているかもしれず，その場合には受取人に履行する必要がないわけですから，期限が来たら受取人の営業所または住所に赴いて履行の提供をしなければ履行遅滞に陥るというのは不都合ではないかと思いますが……。

M　N君のいうことはもっともで，ことに前にも論じたように（⇨★ ***44***），支払場所として銀行店舗を記載してその当座預金に支払資金を用意している場合には，それをわざわざ引き出して受取人の営業所または住所で履行の提供をしなければ遅滞に陥るというのは不当だと思います。

T　両君の指摘はきわめてもっともです。そこで一般には，いまM君が指摘した事例，すなわち債務者の営業所または住所以外の場所が支払場所として記載されている事例の場合には，まず手形上の権利を行使すべきだと解されています。このように，同じく「支払のために」手形が振り出された場合のうち，手形上の権利を先に行使すべきだとされる場合を，狭義の「支払のために」手形が振り出されたといい，どちらの権利を先に行使してもよいとされる場合を，「担保のために」手形が振り出されたといいます。

M　いま，先生がおっしゃったように，振出人と受取人との間では，支払場所の記載がある場合は狭義の支払のために手形が振り出されたと認められ，それ以外の場合には担保のために手形が振り出されたと認められると一般には解されているのですが，それでいいかどうか疑問に感じているものですから……。

N　支払場所の記載のない場合でも，Mさんが先ほど指摘されたように，手形債務の履行場所と原因債務の履行場所とは異なるわけですから，支払場所の記載のある場合と異ならないのではないでしょうか。支払場所の記載のない場合には原因関係上の権利と手形上の権利とのどちらを先に行使してもかまわないということですが，そうすると，先ほども指摘したことですが，受取人が手形を譲渡してしまっている可能性もあるわけですから，振出人としては両方の権利行使があることを想定して用意しておかなければならないことになりませんか。

T　私も皆さんと同じような疑問をもっています。いま諸君が提起された疑問を解決するためには，手形が振り出された場合には原因債務の履行場所も振出人の営業所または住所になると解するという方法もありますが，さらに徹底して，手形が振り出されたときは，支払場所の記載のない場合でも，特約がないかぎり，手形上の権利行使を先にする――狭義の支払のために振り出されたものと認める――という考え方をとるべきではないかと考えております（前田103頁以下）。

★ *50*　(3)「支払に代えて」の場合

T　手形が支払に代えて振り出された場合には原因債務が消滅するわけです

が，この場合の法律関係について説明して下さい。

M　それは代物弁済と考えられております。原因債務の履行に代えて有価証券としての手形を交付して原因債務を消滅させることになりますから，民法482条の代物弁済に該当することになります。

N　民法513条2項は債務の履行に代えて為替手形を発行することを，債務の要素の変更とみなすと規定して，これを更改として取り扱っていますが，この規定との関係はどうなりますか。

M　原因債務の支払に代えて手形を振り出すことを更改とみることは手形の無因証券性に反するという理由で，上の規定を無視するしかないと解されています。

N　もう少し詳しく説明していただけませんか。

T　更改というのは，旧債務(いま問題にしている例では，原因債務)を消滅させて新債務(手形債務)を発生させる契約をいい，かつ，旧債務が存在していなければ新債務も成立しないという意味で有因契約と考えられています。ところが，手形債務負担行為は，これまで繰り返して説明してきたように，原因関係の存否の影響を受けない無因行為ですから(⇨★ ***13*** 以下, ***33***)，更改とは異なることになります。

N　わかりました。

5　約束手形の記載事項――統一手形用紙との関連――

★ *51*　(1)　統一手形用紙制度

T　前に触れたように(⇨★ ***22***)，約束手形は要式証券であり，その記載事項が法定されておりますが(手75条)，実際には，銀行を支払場所として記載されている手形については，その取引銀行から交付されるいわゆる「統一手形用紙」を使用したものでなければ，支払場所と記載された銀行はその支払をしないことになっております。そして，銀行と当座勘定取引契約(⇨★ ***44***)を締結した取引先は，取引銀行からこの用紙を購入して，その記載欄を埋めれば，必要事項がみたされることになっております。

N　その統一手形用紙を使わなければ手形としての効力が認められないのですか。

M　そうではありません。それに振出人として署名した者は振出人としての責任を負うことは当然です。ただ，それを用いなければ，支払場所と記載された銀行は支払をしないだけです。

N　どうしてそのような統一手形用紙制度が採用されているのですか。

T　それが採用されるまでは，銀行との間に当座取引のない者が市販の手形用紙に勝手に銀行店舗を支払場所と記載して振り出して，取引なしという理由で支払場所たる銀行店舗が支払を拒絶する事例が多かったのですが，そのようなことを阻止するために統一手形用紙制度が昭和40年に全国の金融機関によって採用されたのです。この統一手形用紙は銀行がその当座取引先に対してしか売りませんから，当座取引のない者はこの用紙を使用できず，また，その用紙を用いた手形でないと銀行が取り扱いませんから，この制度の採用により上のような事例は激減したといわれております。

★52　(2)　必要的記載事項——〔付〕有害的記載事項・無益的記載事項——

T　M君，手形法75条に規定されている必要的記載事項と，統一手形用紙の記載事項とを対照しながら説明して下さい。

M　はい。手形法75条では，約束手形に必要な記載事項として，①証券の文言中にその証券の作成に用いる語で記載する約束手形であることを示す文字（1号），②一定の金額を支払うべき旨の単純な約束（2号），③満期日（3号），④支払地(4号)，⑤支払を受け，またはこれを受ける者を指図する者の名称(5号)，⑥振出日（6号），⑦振出地（6号），⑧振出人の署名（7号）があげられて

図4　統一手形用紙見本

（表　面）

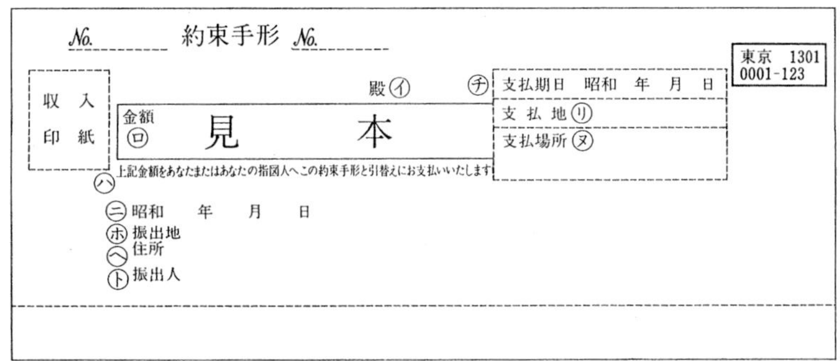
№.　約束手形　№.

東京　1301
0001-123

収入印紙

殿㋑

㋠ 支払期日　昭和　年　月　日

支払地㋷

金額 ㋺　見　本

支払場所㋦

㋩ 上記金額をあなたまたはあなたの指図人へこの約束手形と引替えにお支払いいたします

㋥ 昭和　年　月　日
㋭ 振出地
㋬ 住所
㋣ 振出人

います。①は，統一手形用紙の㋩の部分の文章のなかの「約束手形」という文字を指します。

N　①の「証券の文言中」というのと，「証券の作成に用いる語」について説明して下さい。

M　統一手形用紙には標題に「約束手形」という文字がありますが，「証券の文言中」というのは，そのような標題に記載したのではだめで，㋩の「……お支払いいたします」という，いわゆる支払約束文句のなかに記載しなければならないという意味です。

N　どうしてそういうことを要求するのですか。

M　標題に記載すればよいとすると，記載者はたんに借用証書のつもりでいたのに，その標題に「約束手形」という文字を記載して約束手形に変造することが容易になるからだ，と説明されています。それから，もうひとつの質問の「証券の作成に用いる語」というのは，支払約束文句に使用される国語のことで，ここでは日本語でかかれていますから，約束手形であることも日本語で書くことを要求するもので，誤解を避けるためといわれています。

N　わかりました。

M　②は，統一手形用紙の㋩の「上記金額を……お支払いいたします」という表現と，㋺の金額欄への一定の金額の記載でみたされます。

N　「単純な約束」というのはどういうことですか。

M　それは，支払約束を，たとえば「売買の目的物の引渡を条件として支払う」というような条件にかかることを許さないという意味です。このような条件を付したら，手形自体が無効になると解されており，このように手形自体を無効にするような記載事項は「有害的記載事項」といわれております。

N　㋩では，「この約束手形と引替えに」という条件が付けられていますが，これは有害的記載事項にはならないのですか。

M　それは有害的記載事項にはなりません。むしろ，手形金の支払が手形と引替えになされることは，以前にも論じたように（⇨★ *3*），手形が有価証券である以上当然のことで，そのことは記載しても記載しなくても，同じ結果が認められるものですから，その記載は有害的記載事項ではなく，「無益的記載事項」――記載しても意味のない事項――といわれます。

N　そうすると，「約束手形と引替えに」という表現は，「引替えに」という記載が無益的記載事項で，「約束手形」という記載が支払約束文句中に記載されている点で，①の必要的記載事項になるということになりますか。

M　その通りです。続いて③の満期日は㊇で記載されます。④の支払地は⑪で記載されますが，ここで支払地の「地」というのは，場所すなわち「地点」と違って，一定のひろがりをもった「地域」を意味しますが，支払地を記載させる趣旨は，支払がなされるべき場所（地点）を探す手がかりを与えることにあり，あまり広い地域を記載したのでは意味がありませんので，最小独立の行政区画，すなわち，一般的には市町村，東京の場合には「……区」まで記載しなければならないというのが判例・学説です。

N　いま，支払がなされるべき場所という表現が使われましたが，それはどういう意味ですか。

T　その問題は支払場所の記載と関連して後に取り上げることにして（⇨★***53***），一通り記載事項を説明して下さい。

M　はい。⑤は受取人の記載ですから，㋑で記載されます。⑥の振出日，⑦の振出地および⑧の振出人の署名は，それぞれ㊁，㋭および㋣の記載でみたされます。なお，振出地の記載は，支払地の記載と違って支払われる場所を探す場所的手がかりを与えるという意味はありませんので，たとえば，県とか東京都というように，最小独立の行政区画よりひろくてもかまわないと解されておりますが，実際には，㋬の振出人の住所と兼ねて記載されるのが普通です。

N　振出人の住所は，手形法75条の列挙には含まれていませんが，どういう意味をもちますか。

M　それは，たしかに必要的記載事項ではありませんが，手形法76条4項の「振出人の名称に付記した地」――これを振出人の「肩書地」といいます――には該当すると思います。

★ *53*　(3)　任意的記載事項――支払場所の記載の意味を中心に――

T　結局，㋦の支払場所が残りましたが，それについて取り上げましょう。支払場所の記載の意味については，前にも触れたことがありますが（⇨★***44***以下），ここであらためて説明して下さい。

M　支払場所の記載は手形法77条で準用される同法4条に基づくものです。

支払場所の記載といっても，たとえば，「○○ホテル○号室」というように，純粋に支払われる場所のみの記載と認められる場合と，「○○銀行○○支店」というように人の記載と認められて支払担当者の記載を含むと解される場合とがあります。前の場合には，その場所で振出人自身が支払うことを意味し，後の場合には，その場所で支払担当者が支払うことを意味します。実際に利用される手形では，前にも触れた通り（⇨★ ***44*** 以下），ほとんどが振出人が当座勘定取引のある銀行店舗を支払場所として記載しております。

N　ほとんどの手形では銀行店舗が支払場所として記載されているとすると，実益のない質問かもしれませんが，支払場所の記載のない場合にはどういうことになりますか。

M　その場合は一般原則にもどって，先ほど問題になったように（⇨★ ***49***），商法516条2項が適用され，債務者すなわち振出人の営業所または住所で支払われることになります。

N　なるほど。そうすると，支払地の記載との関係はどうなりますか。

M　支払地は，先ほど説明したように，支払われるべき場所を探す手がかりを与えるために記載されるのですから，支払場所の記載がなされるときは，それは支払地内でなければならず，その記載がなされていないときは振出人の営業所または住所が支払地内になければならないことになります。

N　わかりました。

T　それで，N君がさっき質問された「支払がなされるべき場所」の意味についてもわかったと思いますが，念のため，N君，まとめて下さい。

N　はい。支払われるべき場所とは，支払場所の記載がなされているときは，その記載された場所ですが，支払場所の記載がないときは振出人の営業所または住所で，いずれも支払地内になければなりません。

T　その通りです。このように，支払場所は必要的記載事項ではありませんが，記載すればそれに応じた効力が認められます。このような記載事項を任意的記載事項といいます。

N　任意的記載事項はほかにどういうものがありますか。

M　ほかにもいろいろ手形法の規定があります。たとえば手形法5条には利息の約定について規定がありますが，一覧払および一覧後定期払手形については振出日から満期までの利息の約定を認めておりますので(同条1項前段・3項)，この場合は任意的記載事項になります。しかし，満期の確定している手形では利息の約定をしてもその効力を認めませんので，この場合は無益的記載事項になります。

N　任意的記載事項は，手形法に規定があるものに限られるのですか。

M　その点については見解が分かれておりまして，手形に記載してその効力が認められるのは手形法に規定された事項に限るという見解もありますが，そのように限定しない考え方もあります。後の見解によれば，手形所持人に不利な事項についてはその記載の効力を認めると所持人に思いがけない損害を与えるから許されないが，所持人に有利な事項だったら，その記載の効力を認めてよいと主張します。

N　所持人に有利な事項とか不利な事項という区別がはっきりしますか。

M　たとえば満期に手形が呈示されて支払が拒絶された場合には，それ以後の利息は手形法では年6分の率によることになりますが(手48条1項2号参照)，それをたとえば年15％の率で支払うというような記載は明らかに所持人に有利な事項になります。

N　そういう記載の効力を認めることはなんら不都合がないのでしょうか。

T　私もそのように考えます。なお，その記載の効力を認める見解に立った場合にも，その記載によって拘束されるのはそのような記載をした者に限られると解するのが一般ですが，振出人が記載したときはその手形上に署名した者全員が拘束されると解することができないかどうか，問題の余地があります(前田121頁以下)。

★ *54*　(4)　必要的記載事項の記載がない場合，基本手形の観念

N　これまで約束手形の振出の際の記載事項について取り扱いましたが，その必要的記載事項の記載を欠くとどうなりますか。

M　その場合は，手形法76条1項で，約束手形としての効力が生じないと定められています。

N　その場合は振出人が手形上の債務を負わないだけでなく，その手形上になされた手形行為の効力——たとえば裏書人の責任——もすべて否定されるのですか。

T　その通りです。先にあげた必要的記載事項はたしかに振出人の手形債務の内容を決する事項ですが，それだけでなく，その手形上になされるすべての手形行為者の手形債務の内容を決することにもなります。この点を説明できますか。

M　はい。たとえば裏書人がいくらの手形債務を負うかは振出の記載事項である手形金額を基準として決められ(手48条1項)，またいつ支払時期がくるかも振出の記載事項である満期日を基準として決められる(手43条)ということです。

N　そうすると，振出の必要的記載事項を欠けば，振出人の手形債務の内容だけではなく，その手形上のすべての手形行為者の手形債務の内容も決まらないことになるから，手形自体の効力が否定されることになるわけですね。

T　そうです。したがって，振出の必要的記載事項は，振出行為の形式的要件であるだけでなく，すべての手形行為の形式的要件になるということができるわけです。

N　振出の記載がその手形上になされるすべての手形行為者の債務の内容になるということは，任意的記載事項についてもいえるのではないでしょうか。たとえば，先ほどあげられた一覧払手形の利息の記載についても，それは裏書人の手形債務の内容にもなっているはずです。

T　その通りです。このように振出によって作成される手形はすべての手形行為の基本となるので，それを基本手形といっております。前に，振出人が遅延利息の記載をした場合にはすべての手形行為者を拘束すると解する余地があるといったのは(⇨★*53*)，それが基本手形の内容をなすと考えられるからです。

6　白地手形

T　これまで約束手形の記載事項について検討しましたが，次に白地手形について取り上げましょう。

★*55*　(1)　白地手形の意義・態様，無効の手形との区別

㋑　意義・態様

T　白地手形というのはどういうものですか。

M　たとえば，融資者が決まっていない場合に，融資を受けようとする者が融資者が決まったらその者を受取人として補充させることにして，受取人を記載しないで約束手形を作成し，これを融資の仲介者に交付することがあります。このように，手形の必要的記載事項のどれかの記載を欠く証券で，その欠けた事項を所持人に補充させる意思で作成されたものを白地手形といいます。

N　振出人の署名がなければ白地手形にならないのではないですか。

M　必ずしも振出人の署名は必要ではありませんが，だれか手形行為者１人の署名は必要です。たとえば，手形要件の記載のない用紙に手形保証人が署名しただけのもの――白地保証――も白地手形になります。

N　手形法76条１項は75条に列挙された記載事項のいずれかを欠く証券は約束手形の効力を有しないと規定していますが，これと白地手形との関係はどうなりますか。

M　白地手形は，手形要件をみたしておりませんから，そのままでは手形としての効力が認められないことは明らかです。しかし，手形署名者によって欠けている要件を補充する権利が手形所持人に与えられていますから，完全に無効なものではなく，商慣習法上の有価証券としての効力が認められます。

N　２つ疑問があるのですが，第１は，いまMさんは手形署名者によって欠けている要件を補充する権利が与えられているから無効な手形と区別されるとおっしゃいましたが，要件の欠けている証券――手形といえないから証券といっておきます――を取得する側からみると，その証券の署名者に補充権を与える意思があったかどうかの区別がつかないはずですが，このように取得者側にわからない事情によって，白地手形か無効な手形かが区別されるのは不都合ではないかということです。第２は，白地手形は商慣習法上の有価証券だとおっしゃいましたが，それがどういう性質の有価証券かということです。たとえば有価証券とは前にも検討したように証券に権利が結合したものですが（⇨★*1*以下），白地手形の場合にはまだ手形上の権利を結合しているわけではありませんから，どういう権利を結合しているかということです。

★*56*　㈡　白地手形と無効な手形との区別

T　いずれも的確な質問ですね。はじめに第１の問題を取り上げましょう。問題は無効な証券と白地手形とをどこで区別するかということですが，M君，この点について説明して下さい。

M　はい。それには主観説・客観説および折衷説の3つの学説があります。主観説とは，白地手形が無効な手形と区別されるのは，欠けている要件を取得者に補充させる署名者の意思があるからだと説明するものですが，これに対しては，N君が指摘したように，取得者にとって無効な手形との区別がつかないから取引の安全を害するという批判がなされます。客観説は，書面の外形上補充が予定されているかどうかで区別するもので，たとえば統一手形用紙のように書面の外形上補充が予定されている書面に署名がなされれば補充権を与える具体的意思がなくても白地手形と認めるものです。

N　意地悪な質問かもしれませんが，その説によると，外形上補充が予定されていない書面の場合には，具体的に署名者が補充権を与えていても白地手形にはならないのでしょうか。

M　たしかに客観説にはそのような疑問があります。そこで折衷説は，次のように主張します。まず，署名者が具体的に補充権を与えた場合はもちろん白地手形と認めますが，そのほかに，書面上，欠けている要件が補充を予定されているものと認められる場合において，署名者がそのような書面であることを認識し，または認識すべくして署名したときは，補充権が与えられたものと認め，白地手形と認めます。

N　それは手形債務負担行為の成立要件としての有効な意思表示があったとされる場合の構成——手形であることを認識し，または認識すべくして署名すれば有効な意思表示があったと認める（⇨★ ***24*** 以下）——と似た構成ですね。それによれば，先ほど私が質問した場合も白地手形に含まれることになるわけですね。

T　その通りです。この説は，理論的にはあくまで署名者の意思によって白地手形かどうかを区別するものですが，主観説と違って，具体的な意思だけによるのではなく，一定の場合には補充権を与える意思があることをいわば擬制することによって，具体的にも妥当な結果を導こうとするものです。N君が指摘したように，手形法の解釈では，他の問題の解決についても同じような構成が用いられております。私はこの説が適当だと考えております。

M，N　私たちも同様に考えます。

★ ***57*** ㈧ **有価証券としての意味**――完成手形との比較――

T　N君が提起された第2の疑問は，白地手形はどういう権利を結合している有価証券かということですが，この点について，M君，説明して下さい。

M　それは，補充権と補充を条件とする手形上の権利との2つの権利を結合していると解されています。

T　その通りですね。補充権は白地手形外の権利だと解する見解もありますが，白地手形の交付によって補充権も移転するわけですから，それも白地手形に結合していると解するのが自然でしょう。

N　補充を条件とする手形上の権利が結合しているとおっしゃいましたが，補充されるまでは手形上の権利はまだ結合されていないわけですね。そこで，白地手形の所持人が白地手形のままで支払のために呈示をし，支払を拒絶された後に，白地を補充してもう一度呈示した場合に，どの時点で有効な呈示があったことになるか，補充されれば遡って第1の呈示が有効になるのでしょうか。

M　それは第2の呈示の時です。白地手形は補充されるまでは有効な手形ではありませんし，補充に遡及効が認められるわけでもありません。

T　その通りですね。いまN君が提起した質問は，白地手形と完成手形との比較の問題とも関係しますね。この問題について，N君は白地手形のままの呈示という権利行使の面を取り上げましたが，その面では白地手形は完成手形と峻別されて，白地手形のままの呈示では，遡求権を保全する効果や手形債務者を遅滞に付する効果――これらのそれぞれについては後で触れます（⇨★ ***118***, ***133***）――は生じないわけです。しかし，両者の比較は権利移転の面でも問題になりますが，この点についてはどうですか。

M　その点は完成手形と同じに取り扱われます。その譲渡方法も同じですし，善意取得や人的抗弁切断の制度が認められる点でも同じです。また，受取人白地の白地手形は最終の裏書が白地式裏書の場合と同じく，たんなる交付で譲渡することができます。

N　白地手形は手形としての効力が認められないのに，権利移転の面では完成手形と同じに取り扱われるというのはどういう根拠によるのですか。

M　それはそのような商慣習法の存在が解釈上認められているからです。

T　その通りです。なお，権利行使の面における完成手形との比較のひとつとして，白地手形のままの訴訟提起ないし催告に時効中断の効果が認められるかという問題がありますが，この点については時効のところで取り上げることにします（⇨★ ***151***）。

★ *58*　(2) 補充権の内容

T　補充権の内容についてはどういうことが問題になりますか。

M　補充権の内容については，白地手形の署名者が限定するのが普通です。たとえば売買代金支払のために手形を振り出す場合にその額が未定であるため，金額白地の白地手形を振り出すときは，売買代金が確定したらその金額を手形金額として補充するという限定がなされたことになるわけです。

N　当事者間で特に限定されていない場合にはどう考えたらよいでしょうか。

M　その場合でも，当事者間の取引関係から取引通念上の限定がなされていると認められるべきではないかと思います。

T　その通りですね。そして取引通念からみても限定がなされていると認められないときは署名者に不利に解されてもやむをえないでしょうね。

N　署名者に不利に解されるということは具体的にはどういうことでしょうか。

T　それは署名者の側で不当補充だということを主張できなくなるということです。

N　わかりました。先ほど，補充権は白地手形に結合しているという説明がありましたが，そこで結合している補充権というのは，いま論じているような限定された内容のものですか。

M　そういう考え方もありますが（石井＝鴻 203 頁），白地手形に結合している補充権自体は制限の付されていないものであって，当事者間でなされている制限は手形外の合意にすぎないという考え方もあります（鈴木 209 頁以下，前田 134 頁）。

N　まえに手形債務負担行為について，代表取締役または支配人の地位が与えられた場合にはその権限は無制限のものであり，また表見代理の問題に関連して，手形行為に関連して代理権を与えた場合には権限を越えたと主張することは許されないということを議論しましたが（⇨★ ***34***），補充権についてもこれと同様の考え方を採用すると，白地手形に結合している補充権は無限定なものだということになるわけですね。

T　そのようにもいうことができるでしょうね。この点は後で取り上げる不当補充の問題に関係するので，そこで再論することにしましょう（⇨★ *60*）。

★ *59*　(3)　補充権の行使時期・時効

N　補充権はいつまでに行使しなければならないのでしょうか。

M　それは，第1に，補充権の内容についてこれまで論じてきたのと同じように，署名者が限定することがあります。第2に，満期の記載のある手形について，満期から3年内に補充しなければ振出人に対する手形上の権利が時効にかかるので（手78条1項・70条1項），この面からの制約があります。第3に，補充権の消滅時効が問題とされております。

T　そうですね。署名者による限定がなされている場合にその後に補充したときは，後で取り上げる不当補充の問題になるわけですね。第2と第3の問題は相互に関連しますが，はじめに補充権の時効についてこれまでの判例・学説を説明して下さい。

M　通説・判例は5年説をとっております（鈴木212頁，最判昭44・2・20民集23巻2号427頁）。この説は白地手形の振出の時から5年で補充権が時効消滅するという考え方です。その根拠として，この場合も「商行為によって生じた債権」として商法522条を適用するものです。これに対して3年説も主張されております。この説は，白地手形の場合には所持人がいつでも補充して支払を求めることができるから，満期の到来した手形と同視することができるとして，振出の時から3年で補充権も時効にかかるというものです。

N　それらの説では，満期の記載のある白地手形についても補充権の時効を問題にするのでしょうか。もし，これを問題にすれば，たとえば満期の日が振出日から3年目とか4年目の日が記載されている場合に，補充権が振出の日から5年とか3年で時効にかかるとすると，手形上の権利がまだ時効にかからないのに，補充権が時効にかかって手形上の権利を行使できないという妙な結果になってしまいますね。

M　その場合は補充権の時効を問題にしておりません。

N　その場合に補充権の時効を問題にしないのは結果的には当然だと考えますが，理論的にいって，同じように手形要件が欠けている場合に，それが満期日のときは補充権自体の時効を問題にしながら，それ以外のときはその時効を問題にしないことをどのように説明するか，疑問を感じます。

T　それはもっともな疑問です。

M　私は，満期が白地のときも，いまN君が提起されたと同じような問題があるのではないかと考えます。たとえば，署名者が振出日から3年後を満期日として補充するようにという補充権を与えたとします。この場合には，補充権の内容通りに補充をしたら，手形上の権利は振出の時から6年は時効にかからないことになります。ところが，この場合には満期の記載がありませんから補充権自体が時効にかかるとすると，その振出の時から5年(5年説によった場合)または3年(3年説によった場合)経過すると補充権が時効消滅してしまい，それまでに補充しなかったとすると，手形上の権利を行使できないことになってしまいます。この結果は不都合ではないかと思いますが……。

T　それももっともな疑問ですね。その疑問を解消するには，どう考えたらよいですか。

N　さっき私は満期日が記載されているかどうかで補充権自体の時効を問題にするかどうかの区別がなされるのは理論的に説明がつかないということを申し上げましたが，そのときにふと考えたことなのですが，満期日の記載のある場合に補充権の時効を問題にしないでよいのなら，満期日が白地のときも補充権の時効を問題にしないで考えられないかということです。

M　しかし，そうすると，満期日が白地のときは，いつまででも白地を補充して手形上の権利を行使できることになりませんか。

T　実は，私もN君のいうように，満期白地の場合にも補充権の時効を問題にしないで解決できると考えているのです(前田143頁以下)。その考え方によると，これまで2人が提起された疑問はすべて解決されるのではないかと考えます。具体的には，先ほどのM君のあげた例を利用して，たとえば振出人Aが満期を白地とする白地手形を受取人Bに対して昭和58年12月10日に振り出し，満期日として昭和61年12月10日と補充する権利を与えたとします。この場合には，Bとしては，昭和61年12月10日——この日が満期日として補充される日です——から3年経過するまでは，満期日を昭和61年12月10日と補充して権利を行使できると考えます。

M　なるほど。Bに対する関係では，昭和61年12月10日が満期日として記載されているのと同じに考えて，その日から3年経過して手形上の権利が時効消滅するまでは，補充権を行使して手形上の権利を行使できると考えるわけですね。しかし，その後の取得者との関係はどうなりますか。たとえば，Bが昭和65年12月10日にいたって満期日を昭和63年12月10日と不当に補充して譲渡した場合にはどうなりますか。

T　その場合はこれから問題にする不当補充の効果の問題として取り扱い，不当補充について，悪意の取得者にとっては上のBと同様に満期日を昭和61年12月10日として取り扱うことになり，したがって手形上の権利を行使できませんが，善意の取得者にとっては昭和63年12月10日が満期日として取り扱われ，したがってそれから3年間は手形上の権利を行使できると解することになります。

M　なるほど。受取人あるいは不当補充がなされた場合の悪意の取得者に対する関係では，与えられた補充権の内容によって満期日したがってまた手形上の権利の時効消滅の時期が決められ，不当補充がなされた場合の善意の取得者に対する関係では補充された内容によってそれが決められるということですね。

N　不当補充により満期日が上の例でたとえば昭和60年12月10日というように早い日を記載されたときはどう考えますか。

T　その場合は善意の取得者としては，昭和61年12月10日と昭和60年12月10日とのいずれかを満期日として選択できると考えます。この点も後で取り上げます(⇨★ ***61***)。

★ ***60***　(4) 不当補充

T　不当補充については，これまでもときどき問題になりましたが，どういう問題か説明して下さい。

M　はい。手形法10条によれば，たとえば振出人Aが手形金額白地の約束手形を受取人Bに振り出し，手形金額を100万円と補充する補充権を与え，Bが手形金額を200万円と不当補充してCに裏書譲渡したとします。この場合に，Cは，Aから不当補充であることの対抗を受けず，Aに対して200万円の手形金を請求できますが，ただ，不当補充について悪意・重過失によりこの手形を取得したときは，Aから不当補充であることを対抗されることになります。

N　白地手形に署名した者は白地を不当に補充されやすい白地手形に署名しているという危険をおかしているのですから，不当補充の結果を甘受すべきであって，悪意・重過失のない取得者を保護すべきだというのがその立法趣旨でしょうね。それはよくわかるのですが，先ほどの例で，Bが手形金額を白地のまま，しかし200万円と補充できると偽ってCに対してこの白地手形を裏書譲渡し，CがBの言を信頼してこれを取得した場合に，手形法10条が適用される余地はないのでしょうか。

M　その点については意見が分かれておりまして，白地手形のままの取得者には同条の適用の余地がないという考え方もありますが(鈴木213頁以下)，判例(最判昭41・11・10民集20巻9号1756頁)および通説はその適用を認めております。もっとも手形金額のような重要な事項の補充権の内容について，CがBの言を信じてAに確認しないで取得した場合には重過失と認められる可能性があるという見解もあります(前田134頁以下)。

N　Cが白地補充前に取得した場合には，白地手形の取得者ですから，その取得者の保護について特別の規定——手形法10条——が設けられているのはよくわかるのですが，Cが補充後に取得した場合には，完成手形の取得者であって白地手形の取得者ではありませんから，逆に手形法10条の適用がないとは考えられませんか。

M　ということは，何条を適用するということですか。

N　人的抗弁切断の問題になるのではないでしょうか。

T　それはもっともな疑問だと思います。私も，補充後の取得者については手形法10条ではなく，人的抗弁切断に関する手形法17条を適用すべきだと考えております(前田136頁以下)。同条によれば，その但書で10条但書と異なり重過失を問題としていない点で10条によるよりも取得者の保護が厚くなっているわけですが，Cとしては，手形金額が200万円と記載された完成手形を取得したのであり，その記載がAによってなされたかBによってなされたかによって，保護される要件が異なるのは，N君のいうように不都合だからです。

M　先ほど，白地手形に結合している補充権が制限の付されたものかどうかについて議論しましたが(⇨★ *58*)，それは無制限のものであって，当事者間の合意は手形外の関係だと考えると，まさにBが200万円と不当に補充したとしてもそれはAから与えられた補充権の行使にほかならず，100万円と補充するという合意は手形外の関係ですから，BはAから与えられた権利に基づいて200万円と記載したのであって，まさに人的抗弁切断の問題になると考えられるわけですね。

T　その通りです。AがBを代理人として200万円と記載したのと同じことになるわけです。その考え方によると，手形法10条の適用があるのは白地手形のままの取得者に限られることになります。

N　刑法上は不当補充は刑法162条の虚偽記入罪を構成すると考えてよいのでしょうね。

T　そうでしょう(藤木・注釈206頁)。

★ *61*　(5)　あらかじめなされた合意に基づく責任

N　先ほどの例でBが200万円と不当に補充した場合に，Aは，あらかじめなされた合意の内容である100万円については，Bに対しても，あるいはBからの悪意の取得者に対しても責任を負うのでしょうね。

T　そう考えるべきだと思います。

M　先ほど(⇨★ ***59***)，補充権の行使時期について，Bまたは悪意の取得者との関係ではあらかじめなされた合意の内容が基準となり，また善意の取得者としては，あらかじめなされた合意に基づく責任と不当に補充された合意に基づく責任とのいずれかを選択して行使することができるという議論をしましたが，それはAとしてはあらかじめなされた合意に基づく責任を負うことは当然だということが前提ですね。

T　その通りです。

N　しかし，善意の取得者としては補充された内容を信頼して取得しているのであって，あらかじめなされた合意の内容について信頼しているわけではありませんから，補充された内容による権利行使を認めれば十分ではありませんか。

T　その点は実は，次に取り上げる変造の場合と共通の問題ですので，そこで触れることにしましょう。

7 変　造

★62　(1) 意　義

T　変造は，一般に偽造と比較しながら説明されていますが，いまも問題となったように白地手形の不当補充とも関係があります。M君，この点について説明して下さい。

M　はい。手形の変造とは，手形の記載事項が無権限で変更されることです。偽造は無権限で他人名義の手形債務負担行為をすることで，手形行為の主体を偽る行為であるのに対して，変造は手形債務負担行為の内容を偽る行為ということができます。しかし，いずれにしても無権限でなされる行為であるという点では共通しています。また，変造はすでに記載されている事項を不当に変更する行為であるのに対して，白地手形の不当補充はまだ記載されていない事項を不当に補充する行為であり，いずれも手形の記載事項が不当に記載される点で共通しています。

★63　(2) 変造の法的効果

T　変造の場合の法的効果はどうなりますか。

M　手形法69条・77条1項7号によれば，変造後の署名者は変造後の文言に従って，責任を負い，変造前の署名者は変造前の文言に従って，責任を負います。

N　たとえば，約束手形の振出人Aが手形金額を100万円と記載してBを受取人として振り出し，Bが手形金額を200万円と変造してCに裏書譲渡した場合には，CはAに対しては100万円請求でき，Bに対しては200万円請求できるということですね。なにか当然のような感じがしますが……。

M　N君のいう通りです。変造前の署名者は，署名当時の文言が変更されても，署名当時の文言による責任を免れるいわれがないから，その文言による責任を負うのは当然であり，また変造後は変造された文言が手形債務の内容になりますから，変造後の署名者は，手形債務負担行為の文言性からいって，変造後の文言による責任を負うのは当然だと考えられます。

N　白地手形の不当補充の場合には，補充前の署名者は，善意の取得者に対する関係では，不当補充後の記載に基づいて責任を負わされるのに対して，変造の場合には，変造前の署名者は変造後の文言による責任を負わされないということになるわけですが，この差異はなにからくるのでしょうか。

M　白地手形の場合には，前にも議論したように（⇨★ ***60***），署名者は不当に補充されやすい白地手形に署名したのですから，不当に補充された文言による責任を負わされてもやむをえないということがいえるのですが，変造の場合には，記載されている事項が不当に変更されたのですから，変造後の文言による責任を負わされる理由がないわけです。

N　そうすると，変造の場合でも，変造されやすい手形に署名した者は，変造後の文言による責任を負わされるということはいえませんか。

T　N君の指摘したことが最近は議論されています。たとえば，振出人Aが，「￥　100,000」というように，「￥」と「1」の間に数字を1字挿入されても不自然でないような間隔をあけて手形金額を記載した場合に，Bが「￥5,100,000」というように手形金額を変造したときは，Aも変造後の文言で責任を負うべきだという解釈がなされております（鈴木「変造」75頁以下，前田146頁以下）。

N　その点では，白地手形の不当補充と変造との間に基本的に共通点があることになりますね。

T　その通りです。

M　上の場合に，Aが変造後の文言について責任を負うという結果はもっともだと思うのですが，それは解釈論として，どういう根拠づけによることになるでしょうか。

T　外観法理によるという考え方もありうると思いますが，もっと具体的に考えて，変造されやすい手形，いいかえれば変造されてもその痕跡が残らないような手形に署名した者は，それが変造された場合には，白地手形に署名した者が不当補充された場合と同じ責任を負うと考えた方がよいと思います。

N　前に，変造のところで議論するということで留保していた問題，すなわち白地手形の善意の取得者としては補充された内容を信頼して取得したのであって，あらかじめなされた合意の内容を信頼しているわけではないのではないかという問題（⇨★ ***61***）は，変造との関係ではどういう議論になりますか。

T　たとえば，Aが満期日を「昭和56年 2月10日」というように「年」と「2」との間に「1」を挿入して「昭和56年12月10日」と変造されても不自然でないように記載し，Bがそのように変造した場合と同じ関係になるのではないかということです。

N　なるほど。善意の取得者としては昭和56年12月10日を満期日と信頼して手形を取得したわけですが，Aはこれまで論じた理由によりその日を満期日とする責任を負わされるほかに，手形法69条により，昭和56年2月10日を満期日とする責任も免れず，善意者はいずれかを選択して行使できることになりますね。

M　それと同じに考えると，白地手形の場合にも，不当補充について善意の取得者は，補充された内容とあらかじめなされた合意の内容のいずれかを選択できると解すべきことになりますね。

8　手形の譲渡

★*64*　(1)　裏書による権利譲渡——裏書の方式，裏書の特異性——

T　手形上の権利の譲渡は，裏書によってなされるのが原則です。M君，裏書の方式について説明して下さい。

㋑　裏書の方式

M　はい。裏書は，正式には，被裏書人を指定して，その被裏書人またはその指図人（被裏書人によって指図された人）に手形金額を支払うようにという裏書文句を記載した上，裏書人が署名するという方法でなされ，これを記名式裏書といいます。しかし，被裏書人欄を空白にしたままでもよく，これを白地式裏書といいます。さらに，被裏書人だけでなく，裏書文句も記載せずに，裏書人の署名だけでもよく，これは略式裏書といわれますが，この場合には手形の裏面にしなければなりません。しかし，裏書は，その名の示す通り，略式裏書にかぎらず，手形の裏面になされます。

T　そうですね。前に取り上げた統一手形用紙（⇨59頁）では，次の図（裏書欄の記載例）にあるように，手形の裏面に裏書文句が印刷されており，その下に裏書人の署名欄，目的の記載欄および被裏書人の記載欄が設けられております。したがって，裏書人の署名さえすれば，裏書の要件はみたされることになります。

★*65*　㋺　裏書による権利譲渡の特異性

T　裏書による手形上の権利の譲渡と指名債権の譲渡とを比較して下さい。

N　本書の冒頭で論じたことですが（⇨★*6*），裏書による権利譲渡の場合には，民法467条に規定されているような債務者その他の第三者に対する対抗要件が不要であり，たんに当事者間の意思表示と手形の裏書交付のみで譲渡できますから，指名債権譲渡の場合に比べて，権利譲渡の手続が簡易化されるという特異性があります。

M　いま，N君が指摘した点のほかに，指名債権譲渡の場合に比べて，権利譲渡の効力が強化されるという特異性があります。すなわち，後で詳しく取り上げられることだと思いますが，裏書による権利譲渡の場合には，①裏書の資格授与的効力により，被裏書人はその裏書によって権利を譲り受けたと推定されます（⇨★*73*）。また，②善意取得，③人的抗弁切断，④手形行為独立の原則のような，指名債権譲渡には認められない，

図5　裏書欄の記載例

表記金額を下記被裏書人またはその指図人へお支払いください。
昭和57年12月20日　拒絶証書不要
住所　東京都千代田区神田神保町3丁目2番地
乙野二郎
（目的）
被裏書人　春山一郎　殿

表記金額を下記被裏書人またはその指図人へお支払いください。
昭和　年　月　日　拒絶証書不要
住所
（目的）
被裏書人　殿

表記金額を下記被裏書人またはその指図人へお支払いください。
昭和　年　月　日　拒絶証書不要
住所
（目的）
被裏書人　殿

表記金額を下記被裏書人またはその指図人へお支払いください。
昭和　年　月　日　拒絶証書不要
住所
（目的）
被裏書人　殿

表記金額を受取りました。
昭和　年　月　日
住所

手形取得者保護制度が認められます（⇨★ *81* 以下）。

T　その通りですね。その点については後で取り上げます。

★ *66*　(2)　法律上当然の指図証券性，裏書禁止手形，裏書以外の方法による権利の移転

㋑　法律上当然の指図証券性

T　手形（小切手も含みます）は「法律上当然の指図証券」といわれております。それはどういう意味か説明して下さい。

M　まず「指図証券」の意味が問題ですが，それは裏書によって譲渡できる証券という意味です。この「指図証券」であるためには，原則として――法律上当然の指図証券でないかぎり――，証券上に指図文句が記載されていることが必要です。

N　途中で失礼ですが，指図文句というのはどういうものでしょうか。

M　それは，約束手形の記載事項中の「『あなたの指図人に』お支払いいたします」という文句のことです。そこで続けますと，法律上当然の指図証券というのは，そのような指図文句の記載がなく，記名式の場合，すなわち，「〇〇殿」というように特定の者を受取人として表示して，「あなたにお支払いいたします」という文句が記載されている場合でも，裏書によって譲渡できるものをいいます。

N　前に約束手形の記載事項を取り上げましたが（⇨★ *52*），そこで，統一手形用紙の㋑に受取人の記載があり，同じく㋬に「……あなたまたはあなたの指図人へ……お支払いいたします」という記載がありましたが，そうすると，統一手形用紙には指図文句の記載があるわけですね。

M　その通りです。したがって，統一手形用紙では，手形が法律上当然の指図証券だということは意味を持たないわけです。

N　ところで，ある証券が法律上当然の指図証券だということは，なにで決まるのでしょうか。

M　それは法律がそのように規定しているかどうかによります。手形法11条1項（手77条1項1号），小切手法14条1項は，手形・小切手が法律上当然の指図証券である旨を規定しておりますので，手形・小切手は法律上当然の指図証券になります。

N　なるほど。そうすると，ほかの証券でもそのような規定が設けられているものがあるわけですね。

M　その通りです。商法574条（貨物引換証）や603条1項（倉庫業者の発行する預証券および質入証券）および776条（船荷証券）などがその例です。

★ *67*　　㈣　**裏書禁止手形**

T　裏書禁止手形とはどういうもので，どういう目的で振り出されるかについて説明して下さい。

M　それは手形上に「指図禁止」，「裏書禁止」，「譲渡禁止」あるいは「Bにのみ支払う」というような指図禁止文句が記載されたものです。そのような記載がなされた手形は，「指名債権譲渡に関する方式に従い，かつその効力をもってのみ譲渡することができる」旨が規定されています。したがって，受取人Bがその手形をCに譲渡した場合にも，振出人Aは，民法468条により，Bに対して主張しうる事由，すなわち人的抗弁をCに対しても主張できる――この手形の場合には人的抗弁切断の制度が適用されない――ことになりますから，Bに対する抗弁を確保しておきたいような場合に利用されます。

N　記名式だけの場合には法律上当然に指図証券となりますが，記名式の上にさらに指図禁止の趣旨が記載されると，裏書禁止手形になるわけですね。

M　その通りです。特定の者が権利者とされ，裏書による譲渡が認められていない証券を記名証券といいます。

N　いま，「指名債権譲渡に関する方式に従い，かつその効力をもってのみ譲渡することができる」というご説明でしたが，それが譲渡された場合に指名債権譲渡の効力しかないということは，人的抗弁切断とか善意取得等の制度が適用されないということ――権利譲渡の効力の強化という効果が認められないということ――で，よくわかりました。よくわからないのは，指名債権譲渡の方式に従ってのみ譲渡することができるということの意味です。それは，民法467条による通知・承諾が必要だということでしょうか。

M　一般にそのように解釈されています（鈴木225頁以下）。

N　そうすると，裏書禁止手形は有価証券ではないということになりますか。手形上の権利が裏書禁止手形に結合しているのかどうかという問題ですが……。

M　それはやはり有価証券と考えられております。その譲渡について，①当事者間の譲渡の意思表示および②証券の交付が効力要件とされている(鈴木226頁)のは，権利が手形に結合していることを前提としていると考えられます。

N　そうだとすると，裏書禁止手形の譲渡について，民法467条の対抗要件が必要だとされていることがどうも理解できないのですが……。

M　それはどういうことですか。

N　先ほども触れたことですが，本書の冒頭で，有価証券の機能について議論しましたが(⇨★ *6*)，そこでは，有価証券の場合には，権利と証券が結合し，権利の行使には証券が必要とされるから，権利の譲渡にも証券の交付が必要とされることになり，そうだとすると，債務者に対する対抗要件としての譲渡の通知・承諾（民467条1項），あるいは債務者以外の第三者に対する対抗要件としての確定日付ある証書による通知・承諾を要求する必要がなくなり，権利譲渡の手続が簡易化されるということを論じました。このことは裏書禁止手形の場合にも，それが有価証券である以上はあてはまるのではないでしょうか。

M　なるほど，君のいわんとすることはよくわかりました。しかし，手形法11条2項は明文で，指名債権譲渡の方式に従ってのみ譲渡できるといっている以上，それを無視するわけにはいかないのではないですか。

T　両君のいっていることはそれぞれもっともです。実質的にみたら，N君のいうように，民法467条の対抗要件を要求することは無意味ですね。たとえば，確定日付ある証書による譲渡の通知・承諾が要求されるのは，債権が二重に譲渡された場合に，どちらが優先するかを決めるためですが，証券を交付しなければ権利が譲渡されない場合には，そもそも二重譲渡の可能性がないわけですから，そのような対抗要件を要求することはナンセンスです。そこで，手形法11条2項は，このように無意味なことを要求しているわけですが，このような場合にどのような解釈をすべきかは非常にむずかしい問題です。

N　私は，そのような無意味な規定は無視すべきではないかと考えます。

T　たしかに，これまでにも，たとえば「支払に代えて」手形を振り出す場合につき，民法513条2項はこれを更改だと規定しておりますが，これを無視して，代物弁済と理解すべきだと考えられているわけですが(⇨★ ***50***)，そうだとすると，ここでも，手形法11条2項の指名債権譲渡の方式をもってのみ譲渡できるという規定を無視して，①当事者の意思表示と②手形の交付がなされれば，効力要件だけでなく，第三者対抗要件もみたすと解することは可能ではないかと考えます。

★ *68*　　㋩　裏書以外の方法による権利の移転

T　手形上の権利は裏書による譲渡以外の方法によっても移転しますが，どういう場合がありますか。

M　まず，相続や合併などの包括承継の場合があります。この場合には，手形の譲渡の場合と異なり，当事者の意思表示や手形の交付と関係なしに，そのような事実の発生によって当然に移転します。また，強制執行によっても移転します。この場合には，動産執行の方法により(民執122条1項)，執行官は，手形を占有し (民執123条1項)，それを売却したときは債務者 (手形所持人)に代わって裏書をすることができます(民執138条)。さらに，裏書をしないで，指名債権譲渡の方法により譲渡することもできるといわれております。

N　指名債権譲渡の方法による場合には，さっき裏書禁止手形について論じたこと，すなわち民法467条の要件をみたす必要があるかどうかということは，同じように問題になりますね。

T　その通りです。

N　いまあげられた裏書以外の方法による移転の場合には，移転の方法についてはいま説明があったように場合によって異なりますが，先ほど裏書による権利譲渡の特異性としてあげられた権利譲渡の効力の強化という効果は認められないことになるわけですね。

T　その点もN君のいう通りです。

★ *69*　　(3)　譲渡当事者の関係

㋑　裏書の原因関係・手形割引

T　約束手形の振出を受けた受取人は，その手形を保有して満期日に呈示して支払を求めることもありますが，それを他に譲渡する場合もあります。この場合について説明して下さい。

M　受取人は，代金債務など既存債務の支払にあてるために裏書する場合もあると思いますが，裏書をする典型的な場合は手形割引を受ける場合だと思います。それは，前にも触れられましたが (⇨★ *43*)，満期日まで待てないで手形をすぐに現金化したい場合に，その手形を銀行その他の金融業者に裏書譲渡して，手形金額から満期日までの利息を差し引いた額の交付を受ける取引です。

T　その通りですね。手形の裏書譲渡には，先ほど取り上げたように（⇨★ *65*），指名債権の譲渡の場合に比べて，権利譲渡の手続の簡易化，その効力の強化というような特殊性がありますので，金融業者としては安心して手形の割引依頼に応じられるという利点があります。

★ *70*　㊀「支払のために」と「支払に代えて」

T　手形が既存債務の支払に関して裏書された場合には，原因債務が存続するか，消滅するかにより，「支払のために」裏書されたか，「支払に代えて」裏書されたかの区別が生じます。

M　この場合も特約がないかぎり，支払のために裏書されたと解されます。

N　前に，支払のために手形が振り出された場合につき，支払場所の記載があるときはもちろんですが，その記載がないときも，特約がないかぎり，「担保のために」ではなく，狭義の「支払のために」振り出されたものと解すべきだという議論をしました（⇨★ *49*）。同様の問題は，手形の裏書の場合にはどうなるのでしょうか。

M　Aが振り出した手形を受取人BがCに対して裏書をした場合のBC間の関係について考えてみますと，Cにとって，原因関係上の権利は裏書人Bに対するものですが，手形上の権利は第1次的には振出人Aに対するものであって，Aが支払を拒絶した場合に，第2次的にBに対して裏書人としての担保責任を追及できるという関係にあります。そうだとすると，振出人と受取人との関係につき，支払場所の記載があるときは，まず支払場所に手形を呈示すべきだと考えるのと同じように，Cとしては，まずAに対して手形上の権利を行使して，Aが支払を拒絶した場合に，Bに対して手形上の遡求権なり原因関係上の権利を行使すべきだと考えられます。したがって，裏書の場合には，もちろん，特約がないかぎり，狭義の「支払のために」手形が交付されたと解されます。

T　その通りで，この点については異論のないところです。

N　手形が支払のために，AからBに振り出され，BがCに手形を譲渡しますと，実質的にはBは手形の対価をCから回収するということになるわけですが，そうすると，BのAに対する原因関係上の権利は消滅するのでしょうか。

M　いや，そうではないと思います。Cから一応は手形の対価を収めますが，その場合でも，AがCの支払呈示に対して支払を拒絶したときは，BはCに対して遡求義務を負いますから，最終的に対価を収めたことにはならないからです。したがって，AがCに対して支払をしたとき，Cが遡求権保全のための手続を怠ったときなど，Bが対価を最終的に収めた場合にBのAに対する原因関係上の権利も消滅することになります。

★*71*　(4) 裏書の効力

T　裏書の効力について取り上げましょう。その効力を列挙して下さい。

M　裏書の効力としては，権利移転的効力，担保的効力および資格授与的効力の3つがあげられます。

N　権利移転的効力というのは，手形行為のうちの手形権利移転行為の効果であり，担保的効力というのは手形債務負担行為の効果ということになると思いますが，資格授与的効力というのはどういうものですか。

M　それは権利移転的効力から派生するものですから，手形権利移転行為に関連する効果といえると思います。

T　その通りです。それでは，それぞれについて検討しましょう。

㋑　権利移転的効力

T　はじめに権利移転的効力について，その具体的内容を説明して下さい。

M　それは，裏書によって手形上の一切の権利が裏書人から被裏書人に移転するというもので(手14条1項)，このことが裏書の主たる目的です。

N　Aから振出を受けたBがCに裏書をする場合についていえば，Aに対する権利とBに対する権利とが裏書によってCに移転することになりますか。

M　Aに対する権利がCに移転するのはどの手形理論によっても認められますが，B自身に対する権利がBの裏書によってCに移転するという構成は，創造説をとる場合に認められる構成です。

N　私も創造説の立場を前提として申し上げたのですが，そうすると，この立場によれば，AからBへの手形の振出についても，AからBへの権利移転があったという説明をすることになりませんか。

T　創造説の立場をとれば，当然そのように説明すべきだと考えます。ことに手形行為について2元説をとれば，振出についても手形権利移転行為が認められるわけですから，その効果としての移転的効力も認められることになるはずです（⇨★ *31*）。

N　そうすると，振出が第1の権利移転行為で，第1裏書が第2の権利移転行為ということになるわけですね。

T　その通りです。

★ *72*　㋺　担保的効力

T　担保的効力について説明して下さい。

M　裏書人は裏書によって手形債務を負担しますが，その債務は，呈示期間内に手形が呈示されたにもかかわらず，振出人が支払を拒絶した場合に負い，振出人の支払を担保するものなので，裏書のこの効力を担保的効力と呼んでいます。そして，裏書人のこの責任を担保責任，遡求義務あるいは償還義務と呼んでいます（その詳細については⇨★ *132* 以下）。

T　そういうことですね。裏書人はこの担保責任を負わない旨を記載しないかぎりは担保責任を負うことになります（手15条1項）。担保責任を負わない旨を記載した裏書を無担保裏書といっております（⇨★ *107*）。

★ *73*　㋩　資格授与的効力

T　最後に資格授与的効力について取り上げましょう。それはどういうものですか。

M　それは先ほど問題になったように（⇨★ *71*）裏書の 権利移転的効力の派生的効果であって，手形上に被裏書人として記載された者はその裏書によって権利を取得したものと推定されるという効力のことをいいます。

N　これまで論じてきた権利移転的効力とか担保的効力が問題になる場合の裏書は有効な意思表示によるものが前提となると思いますが，資格授与的効力が問題となる場合には，たんに手形面上に被裏書人として記載されている者が権利者と推定されるのですか。具体的にいえば，CがBから手形を盗んで，Bの裏書を偽造して自分自身を被裏書人として記載した場合に，もちろんこの裏書には権利移転的効力や担保的効力は認められないはずですが，Cが権利者と推定されるという資格授与的効力は認められるのですか。

M　そういうことになります。

T　N君の疑問は もっともです。「逆は必ずしも真ならず」で，裏書によって手形上の権利が移転されるからといって，裏書がなされていればそれに対応する権利移転が常になされているといえないことは，いまN君があげた例で明らかです。しかし，確率的にみた場合には，裏書が偽造される確率はそれほど大きくはなく，十中八，九はその裏書に対応する権利譲渡がなされているはずです。そこで，手形取引の安全のために，上のような可能性が大きいことを法的にも承認して，裏書に資格授与的効力を認めたわけです。

N　よくわかりましたが，手形法にはそれについての規定があるのですか。

T　直接にはありませんが，手形法16条1項――裏書の連続のある手形の所持人は権利者と推定されるという規定――は，裏書の資格授与的効力を前提としたものということができます。いいかえると，手形法16条1項を説明するために，解釈上，裏書の資格授与的効力が認められるということができるでしょう。

N　もうひとつ質問ですが，先ほど振出についても権利移転的効力が認められるということを議論しましたが，そうだとすると，振出にも資格授与的効力が認められることになりませんか。

T　私はそのように考えております。いずれにしても，この効力は裏書の連続のある手形所持人の法的地位と密接に関係しますので，次にそれを取り上げましょう。

★*74*　(5)　裏書の連続

㋑　手形法16条1項の意味

T　手形法16条1項について説明して下さい。

M　それは，裏書の連続のある手形の所持人は手形上の権利者と推定されるという意味だと解されており，その者を実質的権利者に対する意味で形式的資格者と呼んでいます。

N　「裏書ノ連続ニ依リ其ノ権利ヲ証明スルトキハ……適法ノ所持人ト看做ス」という表現はむずかしいですね。

T　たしかにその通りですが，これを合理的に理解すると，「裏書ノ連続ニ依リ其ノ権利ヲ証明スルトキハ」というのは「裏書の連続のある手形の所持人は」というように理解され，「適法ノ所持人ト看做ス」というのは「手形上の権利者と推定する」というように理解すべきだと考えられています。

N　「看做ス」という表現を文字通りに理解すると，反証が許されないことになりますね。

T　そうですが，それでは手形の盗取者も権利者となってしまうというおかしな結果になりますので，「推定する」の意味に解されているわけです。

N　先ほど（⇨★*73*），手形法16条1項は裏書の資格授与的効力が前提になっているとおっしゃいましたが，それはどういう意味でしょうか。

T　それを理解するためには，裏書の連続とはなにかをまず説明しなくてはなりませんが，M君，それを説明して下さい。

図6

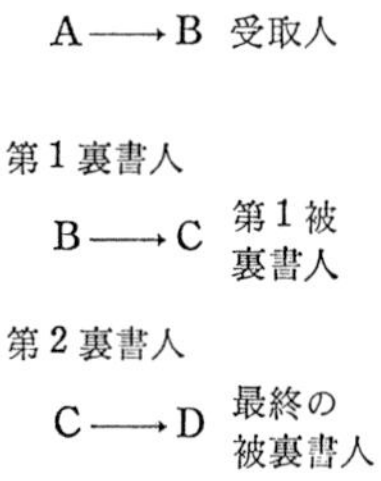

A ——→ B　受取人

第1裏書人

B ——→ C　第1被裏書人

第2裏書人

C ——→ D　最終の被裏書人

M　はい。それは，受取人Bが第1裏書人になり，第1裏書の被裏書人Cが第2裏書人になるというように，受取人が第1裏書人となり，以下，被裏書人が次の裏書人となり，かつ最後の裏書の被裏書人が手形所持人になっている場合のことをいいます。

T　そういうことですね。そこで，A→B，B→CおよびC→Dについてさっき論じた振出および裏書の資格授与的効力をあてはめると，B，CおよびDはそれぞれA，BおよびCから権利を取得したものと推定されますから，結局，Dはこの手形上の権利者と推定されることになります。結局，裏書の連続のある所持人が権利者と推定されるということは，個々の裏書の資格授与的効力の集積ということがいえるわけです。

N　そうすると，先ほど論じたことですが（⇨★*71*），振出についても資格授与的効力を認めないと，裏書の連続のある手形の所持人が権利者と推定されるという効果は生じないことになりますね。

T　その通りです。

★*75*　㈡　裏書が連続する場合

N　裏書の連続の有無を判断する場合には，裏書の資格授与的効力の有無を判断する場合と同じように，偽造の裏書が含まれていてもよいのでしょうね。

M　そうです。あくまで手形の記載から判断されます。ただ，最後の被裏書人が手形所持人だということは手形外の事実で立証しなければならないと解されます（前田170頁）。

N　裏書の連続があるといえるためには，受取人・被裏書人と次の裏書人とが一字一句同じでなければなりませんか。

M　いや，必ずしもそうではありません。社会通念上，同一人と認められるものであればよいと解されています。たとえば，受取人・被裏書人として「A株式会社殿」と記載され，次の裏書人として「A株式会社代表取締役甲」という署名がなされていれば，裏書が連続する典型的な場合ですが，①受取人・被裏書人として「A会社甲殿」と記載され，次の裏書人として「A会社代表取締役甲」という署名がなされている場合や，②受取人・被裏書人として「A会社甲支店長殿」と記載され，次の裏書人として「甲」という署名がなされている場合も，裏書の連続が認められております。

N　①の場合は，受取人・被裏書人も裏書人もA会社として裏書の連続を認め，②の場合は甲個人として裏書の連続を認めることになるのでしょうか。

T　その通りです。裏書人の記載が①の場合はA会社，②の場合は甲個人であることが明らかですから，受取人・被裏書人の記載については，それに合わせて，①の場合はA会社，②の場合は甲個人として，裏書の連続を認めるわけです。

M　手形法16条1項第2文から第4文までにも裏書の連続が認められる場合が列挙されています。

T　それを図に書いて説明して下さい。

M　はい，図7の通りです。

図7

〔第2文〕	〔第3文〕	〔第4文〕
A→B	A→B	A→B
B→C	~~C→D~~	B→
C→	B→C	C→D

★76　㈥　裏書の連続の効果

ⓐ　権利者の推定

N　裏書の連続のある手形所持人が形式的資格者と認められるということは，たとえばDがCから手形を盗取してCD間の裏書を偽造した場合にも，Dは権利者と推定されるということになるわけですね。

M　そうです。

N　そこで疑問なのですが，手形の盗取者を手形上の権利者と推定するのは手形の盗取者に有利になることであって不当な感じがするのですが，どうしてそのような推定をする必要があるのでしょうか。

T　手形法16条1項は，決して手形の盗取者に有利な取扱いをするためのものではなくて，裏書の資格授与的効力のところでも触れたように，手形取引の安全を確保するためのものです。そして，このような規定が設けられた根拠として先ほど裏書の資格授与的効力のところで触れたように，裏書の連続のある手形の所持人は実質的権利者である可能性が大きいということ，十中八，九は実質的権利者だということがあげられて，たまたまその中には例外的に無権利者の場合も含まれるということになるわけです。

N　それによって手形取引の安全を確保するというのは具体的にはどういうことでしょうか。

★77　ⓑ 具体的効果

① 権利行使の面

T　それは裏書の連続の効果を説明すればわかると思います。M君，それを説明して下さい。

M　それは3つあります。第1は，権利行使の面の効果で，裏書の連続のある手形所持人は自分が権利者であることを立証しないでも権利を行使でき，手形債務者はその者が無権利者であることを立証しないかぎり，支払を拒むことができないという効果が認められます。

N　たしかに，実質的権利を取得した者にとって権利が行使しやすくなる点で手形取引の安全に役立つことはわかりますが，そのついでに手形の盗取者にとっても権利が行使しやすくなってしまうわけですね。

T　それはその通りです。それを阻止するには刑法上の制裁によることになるでしょう。

N　別の問題ですが，たとえば被裏書人Cが死亡してDが手形を相続した場合には，Dは実質的権利者ですが，CのDに対する裏書はありませんので，Dは裏書の連続のある手形所持人にはならないと思います。この場合にはDの地位はどうなりますか。

M　その場合には，一般原則にもどり，Dは実質的権利を立証すれば権利を行使できます。

N　そうすると，Dは①A→B，②B→Cおよび③C→Dの全部の権利移転につき立証しなければならないのですか。

T　それはいい質問です。その問題は，手形の一部につき裏書の連続が欠ける場合には，その手形上の振出または裏書の資格授与的効力がすべて否定されてしまうかということですね。

N　そうです。上の例で，③だけは裏書がないわけですから，Dはその部分につき相続により権利を取得したことを立証しなければならないことは当然ですが，①および②の資格授与的効力は認められてよいのではないかと思ったのですが……。

T　その通りです。先ほど，手形法16条1項は振出または裏書の資格授与的効力の集積をいう規定であるといいましたが（⇨★*74*），このこともいまN君がいったように考える根拠になるといえます。

★*78*　　②　権利移転の面――善意取得――

M　裏書の連続の第2の効果は，権利移転の面での善意取得です。CがBから手形を盗取してBC間の裏書を偽造して裏書の連続を作出した場合に，Cからこの手形の裏書譲渡を受けた手形取得者Dはこの手形上の権利を取得するというように，裏書の連続のある手形所持人からの譲受人は譲渡人が無権利者であっても悪意・重過失がないかぎり保護されるというものです。

T　これは手形取得者保護制度の典型的なものですが，詳細は後で論じましょう（⇨★*92* 以下）。

★*79*　　③　支払の面――債務者の免責――

M　第3は，支払の面での債務者の免責の効果です。先ほどの例で，振出人Aが盗取者Cに手形金を支払った場合にも，悪意・重過失がないかぎり免責されるというものです。

T　その点も債務者の免責のところで詳しく論ずることにしましょう（⇨★*128* 以下）。

★*80*　　ⓒ　裏書の連続の効果の限界

N　いままで，裏書の連続の効果として，裏書の連続のある手形所持人が権利者と推定されるということがあげられましたね。そこで質問ですが，たとえば最終の被裏書人（裏書がない場合には受取人）と手形の占有者が同一人であるとか，最終の被裏書人が行為能力者であるとか，最終の被裏書人の代理人と称する者が真実代理権を有するとか，そういう点まで推定されますか。

M　裏書の連続の効果が振出ないし裏書の資格授与的効力の集積だとすると，そこまでは推定されないと思います。

N　もっと具体的に説明して下さい。

M　はい。振出・裏書の資格授与的効力というのは，裏書がなされているときはそれに対応した権利移転がなされている可能性が大きいということから認められたものであって，裏書がなされているからといって，被裏書人が行為能力者である可能性が大きいなどということはいえないからです。

T　その通りですね。

N　そうすると，それらの事項については権利を行使する側が立証しなければならないことになりますか。

T　そういうことです。それらの事実については，手形債務者は手形金の請求をする者に対して証明するように求めることができます。この点は誤解されやすいですから，注意して下さい。そしてまた，この点は，後で論ずるように，善意取得や債務者の免責に関しても問題になります（⇨★ *93*）。

★ *81*　　9　手形取得者保護制度

T　手形取得者保護制度として，どのようなものがあげられますか。

M　手形行為独立の原則，善意取得および人的抗弁切断の 3 つがあげられます。

T　そうですね。ところで，この 3 つの制度の相互の関係は，第 1 に，これまでもたびたび触れた手形債務負担行為と手形権利移転行為との関係から理解するというアプローチの仕方と，第 2 に手形抗弁の関係から理解するというアプローチの仕方とがあり，この両面から検討することがこれらの制度の完全な理解のために必要と考えられます。

★ *82*　　(1)　手 形 抗 弁

T　そこで，はじめに，手形抗弁について論ずることにしましょう。手形抗弁というのはどういうものですか。

M　それは手形金の支払を請求された者がその請求を拒むために主張できる事由をいいます。

N　いままで，手形法 17 条の人的抗弁切断ということが問題とされ，そこでいう人的抗弁とは手形金を請求された者が請求者に対して原因関係から生ずる抗弁を主張するということだと思いますが（⇨★ ***13***），その他に，たとえば，自分の署名は偽造されたものだから支払わないということや，お前は盗取者だから支払わないということも手形抗弁ですか。

M　そうです。

T　いまN君から手形抗弁の種類が具体的に示されましたが，手形抗弁の種類について説明して下さい。

★ *83*　㋑　物的抗弁と人的抗弁

M　はい。まず，手形抗弁は物的抗弁と人的抗弁に分けられます。この区別の基準は，手形金の請求を受けた者がだれに対して主張できるものかによるものであって，だれに対しても主張できるものが物的抗弁で，特定の者に対してしか主張できないものが人的抗弁です。

N　具体的に説明していただけませんか。

M　N君がさっき示した例にあてはめると，①自分の署名が偽造されたから支払わないということは，だれに対しても，すなわち，だれが請求してきた場合でも主張できますから，これは物的抗弁です。これに対して，②AがCに対して，お前はBから手形を盗取した者だから支払わないということは，Cに対しては主張できますが，Cからの悪意・重過失のない手形取得者Dに対しては主張できません。また，③たとえばAB間の原因関係に解除事由・取消事由があるという場合には，AはBに対してはこれを主張して支払を拒むことができますが，善意の取得者Cに対しては主張できません。そこで，②および③の事由は人的抗弁ということになります。

★ *84*　㋺　物的抗弁が生ずる場合

N　物的抗弁のひとつの具体例はわかりましたが，物的抗弁が生ずる場合について一般的に説明していただけませんか。

M　だれに対しても支払を拒むことができるということは，請求された内容の手形債務を負っていないということです。ということは，第1に，そのような手形債務が成立していない場合，すなわち，前に論じた手形債務負担行為の成立要件（⇨★ ***21*** 以下，***34***）がみたされていない場合に発生します。第2に，いったん有効に成立した債務が消滅し，または変動した場合に生じます。たとえば，手形上の権利の時効消滅の場合や支払をして受取を証する記載をした手形の交付を受けて手形債務が消滅した場合（手39条1項），さらに一部支払による手形債務の一部消滅の場合（手39条3項）等があげられます。

N　手形の交付を受けないで手形金を支払った場合には物的抗弁になりませんか。

M　それはこれから述べる人的抗弁になると思います。

★85　　㈧　人的抗弁が生ずる場合

ⓐ　人的抗弁の種類

T　次に人的抗弁について取り上げましょう。

N　先ほどの例で，盗取者に対して主張する②の場合と，原因関係に瑕疵のある③の場合とでは，同じ人的抗弁でも性質が異なるのではないかという感じがするのですが……。

T　その通りです。M君，その差異について説明して下さい。

M　はい。人的抗弁はさらに2つに分けることが可能です。㈠ひとつは無権利の抗弁で，㈡他のひとつは狭義の人的抗弁です。いずれも特定の者に対してしか主張できないという点では人的抗弁ですが，㈠と㈡の区別は，だれが主張できる事由かによってなされます。㈠はその特定の者に対してはだれでも主張できるのに対して，㈡はその特定の者に対して他の特定の者しか主張できないという差異があります。先ほどの②の事例は㈠の場合にあたり，③の事例は㈡の場合にあたります。

N　もっと具体的に説明していただけませんか。

M　手形がA→B→Cと移転している場合に，Cの手形金請求に対して，AもBも支払を拒むことができる場合が㈠で，Bは支払を拒むことができるがAはこれを拒むことができない場合が㈡です。

N　なるほど，Cが盗取者の場合には，だれでもCには支払う必要がないのに対して，BC間に解除事由等があるにすぎない場合には，AはCに支払を拒むことができないわけですね。

★86　　ⓑ　無権利の抗弁が生ずる場合

T　無権利の抗弁が生ずる場合について説明して下さい。

M　それは手形権利移転行為に瑕疵がある場合に生じます。CがBから手形を盗取し，または手形を拾得した場合には，ＢＣ間に権利移転行為がありませんから，無権利の抗弁が生じます。

Ｎ　無権利の抗弁の対抗を受ける者を無権利者というわけですね。

★ *87*　ⓒ　狭義の人的抗弁が生ずる場合

Ｔ　狭義の人的抗弁はどうですか。

Ｍ　それは，物的抗弁または無権利の抗弁と異なり，手形行為自体については手形債務負担行為にも手形権利移転行為にも瑕疵がなく，手形外の法律関係に基づいて生じます。主としては原因関係に瑕疵がある場合ですが，相殺の主張ができるような場合にも生じます。

★ *88*　ⓓ　手形権利移転行為有因論との関係

Ｎ　質問があるのですが，原因関係に瑕疵がある場合は狭義の人的抗弁になるという説明がありました。ところが前に手形権利移転行為有因論について論じましたが（⇨★ ***36*** 以下），この理論によると，その場合は無権利の抗弁になるのではないでしょうか。

Ｔ　それはよい点に気がつきましたね。それは，ＢＣ間でＢがＣに対して原因関係上，たとえば解除権とか取消権があるという場合には，Ｂがこれらの権利を行使したときはＢＣ間の原因関係が消滅しますからＣは無権利者になりますが，まだこれらの権利を行使しないというときは原因関係が消滅しませんから，狭義の人的抗弁になります。

Ｎ　なるほど。それではＢＣ間の原因関係が無効の場合は，有因論によれば，はじめから無権利の抗弁ということになりますか。

Ｔ　そのように解することになりますね。

Ｎ　抗弁というのは手形金の支払を拒むために主張できる事由ということですが，解除権や取消権が発生しているだけで，まだこれを行使していない段階で人的抗弁が成立しているということはどう考えたらよいでしょうか。

Ｔ　もちろん上の例で手形債務者ＢがＣから手形金の支払を請求された場合には，解除権や取消権を行使して支払を拒むことになります。しかし，Ｎ君が指摘した手形権利移転行為有因論によれば，①Ｂが解除権や取消権をまだ行使しない場合と②これを行使した場合とでは，Ａとの関係で結果に差異が生じます。すなわち，①の場合にはＡはＣの請求を拒むことができないのに対して，

②の場合には，Aも支払を拒むことができるわけです。

N　なるほど，その差異を説明するために，①の場合を狭義の人的抗弁といい，②の場合を無権利の抗弁として，両者を区別するということですか。

T　その通りです。その関係はまた議論することにしましょう（⇨★ ***105***）。

N　もうひとつ，先ほど手形の交付を受けないで手形金を支払った場合は人的抗弁になるということでしたが，それはどちらの抗弁でしょうか。

T　その場合は，手形金の支払を受けた者はその支払をした者に対して手形を返還する義務があるわけですから，有因論によれば無権利の抗弁になります。

★ *89*　(2)　手形行為独立の原則

T　それでは手形取得者保護制度について，ひとつひとつ取り上げていきましょう。はじめに手形行為独立の原則について論じましょう。

㋑　意　　義

T　M君，この制度はどういうものですか。

M　それは，手形法7条に一般的に規定され，手形保証独立の原則につき32条2項に規定されていることですが，具体例をあげれば，たとえば振出人Aが無能力者であって手形債務を負担しない場合にも，その受取人Bの裏書人としての手形債務は，その手形債務負担行為自体が有効であるかぎり，有効に成立するというもので，一般論としていえば，前提たる行為（Aの振出）が無効でも，それを前提とする行為（Bの裏書）はその影響を受けずに有効に成立するというものです。

図8　手形行為独立の原則

A　無能力者
↓
B　裏書人
↓
C

N　そこで裏書が有効に成立するというのは，どういう意味でしょうか。その権利移転的効力についていえば，それが有効だとすると，Aの振出が無能力により無効であっても，Aに対する手形上の権利がBの裏書により有効にCに移転するということになりますが，Aは手形債務を負っていないわけですから，そのようなことは考えられません。そうだとすると，Bの裏書が手形行為独立の原則によって有効に成立するといっても，それは，もっぱらBの手形債務負担の面だけを考えているということなのでしょうか。

T　その通りです。手形行為独立の原則というのは，前にも触れた通り（⇨★ ***31*** 以下），もっぱら手形債務負担行為に関する制度です。

N　そうすると，前提たる手形債務負担行為が無効でも，それを前提とする手形債務負担行為はその影響を受けないで有効に成立するという制度だということになりますね。

T　そうです。さらにいえば，手形債務負担行為が有効に成立するかどうかは，もっぱらそれ自体の成立要件をみたしているかどうかによって決められ，他の手形債務負担行為の成否によっては影響を受けないということになりますね。

M　手形抗弁との関係でいうと，前提たる手形債務負担行為に瑕疵がある場合とは，先ほど論じたように(⇨★ ***83, 84***)，物的抗弁が成立する場合ですから，この原則は前提たる行為に物的抗弁が生じている場合にも，それを前提とする手形行為はその影響を受けない制度ということですね。

T　そういうことです。

★ *90*　㋺　前提たる行為に方式の瑕疵がある場合

N　Aの振出につき形式的要件を欠いた場合には，Bの裏書の効力はどうなるでしょうか。

M　手形行為独立の原則は，前提たる手形行為が実質的な理由により無効な場合に適用されるのであって，形式的要件を欠く場合には適用されないと一般には解されております (鈴木123頁以下)。手形法32条2項は手形保証独立の原則につき，被保証債務に方式の瑕疵がある場合を除いております。

N　おっしゃることはよくわかりますが，前に，振出によって作成される手形は基本手形であって，その方式の瑕疵はその手形上になされたすべての手形行為の方式の瑕疵としての意味も有するという議論をしましたが (⇨★ ***54***)，この考え方によると，Aの振出の方式を欠いた場合には，Bの裏書自身の方式を欠くことになりますから，Bの手形債務負担行為自体が有効に成立しなかったことになるという説明ができるのではないでしょうか。

M　なるほど。結果はどちらでも同じですが，N君のように考えると，前提たる行為に方式の瑕疵がある場合には手形行為独立の原則の適用がないということをあえていうまでもないことになりますね。

T　実は私もそのように考えております(前田194頁以下)。そのように考えると，手形債務負担行為はそれ自体につき成立要件をみたしておれば有効に成立するということを徹底できるわけです。さらに，Bの第1裏書の方式に瑕疵がある場合に，Cの第2裏書の効力がどうなるかという問題についても，Cの手形債務負担行為自体の成立要件をみたしておれば有効だということになり，一般の説明の仕方と結果的にも差異が生ずるわけです。

図9 手形行為独立の原則

A
↓
B 方式の瑕疵
↓
C
↓
D

N しかし，第1裏書に方式の瑕疵があれば，BC間に権利の移転が生ぜず，Cは無権利者であり，また，この手形の裏書は連続していませんから，Dはこの手形を善意取得せず，したがってCが手形債務を負っているといってみても意味がないのではないでしょうか。

T たしかにBC間で裏書による権利移転は生じないのが普通でしょうが，一般の債権譲渡により効力が生ずる可能性があります。この場合については，前にも論じましたが(⇨★ ***67, 68***)，民法467条の指名債権譲渡の対抗要件をふむまでもなく，手形の交付と意思表示によって譲渡できると考えられます。

M 手形保証の場合に，被保証行為の方式に瑕疵があるときは独立の原則が適用されないということ(手32条2項)は，どのように説明することになりますか。

T それも振出の場合と同じように，手形保証の被保証行為の方式は保証行為方式としての意味も有すると説明することになります。

★ *91* ㈧ 悪意の取得者との関係

T 手形行為独立の原則が悪意の取得者にも適用されるかということが議論されていますが，その点はどう考えたらよいですか。

N 先ほどの議論によると，手形行為独立の原則はもっぱら手形債務負担行為に関するものですから，そもそも取得者の善意・悪意とは無関係なのではないでしょうか。

T そうですね。この問題は善意取得とも関係しますので，後でまた取り上げることにしましょう(⇨★ ***104***)。

★ *92* (3) 善意取得

㋑ 意 義

T 善意取得というのはどういう制度ですか。

M　それは，手形法16条2項に規定されているものですが，具体的にいうと，受取人Bから手形を盗取したCがBC間の裏書を偽造して，さらにDに裏書譲渡した場合に，DはCが盗取者であることにつき悪意・重過失なく手形を取得すれば，手形上の権利を取得し，その反射としてBは手形上の権利を失うというものです。

図10　善意取得

A
↓
B
⋮
C　盗取者
⇩
D　悪意・
　　重過失なし

N　手形法16条2項の表現も，1項と同じように，わかりにくいですが，いまの例にこの規定をあてはめていただけませんか。

M「事由の何たるを問わず……手形の占有を失いたる者ある場合において」というのは，上の例では，BがCに手形を盗取されてその占有を失った場合のことです。「所持人が前項の規定によりてその権利を証明するときは」というのは，Dが裏書の連続のある手形の所持人であることを指します。「手形を返還する義務を負うことなし」というのは，DがBに対して手形を返還しないでよいということですが，このことは，Dが手形上の権利を取得し，その反射としてBが手形上の権利を失い，その結果，BはDに手形を返せといえないということを規定したものです。

★*93*　㈺　適用範囲

N　先ほど，Bが手形を盗取された場合が「事由の何たるを問わず」の例としてあげられましたが，この表現はもっと範囲が広い感じがするのですが，ほかにどういう場合が含まれるのでしょうか。

T　その質問は善意取得の適用範囲に関するものですね。この点について説明して下さい。

M　善意取得の適用範囲については，2つの意見が対立しています。第1は，善意取得制度が適用されるのは無権利者――手形抗弁のところで論じた無権利の抗弁の対抗を受ける者（⇨★*85*，*86*）――からの譲受人に限られるという説（①説）であり，第2は，それに限られず，手形権利移転行為に瑕疵がある場合一般について適用されるという説（②説）です。

N　もっと具体的に説明して下さい。

M　①説によると，その適用範囲は，譲渡人が盗取者・拾得者のような無権利者の場合に限られます。たしかに，無権利者の譲渡は権利移転行為に瑕疵があるひとつの場合ですが，しかし，権利移転行為に瑕疵があるのは，そのほか，譲渡人が無能力者の場合とか，最終の被裏書人の代理人と称して譲渡した者が無権代理人であった場合，さらには最終の被裏書人と称して譲渡した者が最終の被裏書人でなかった場合も含まれます。②説によれば，このような権利移転行為に瑕疵がある場合一般につき善意取得の適用があり，その場合の取得者も保護されると解します。

図11

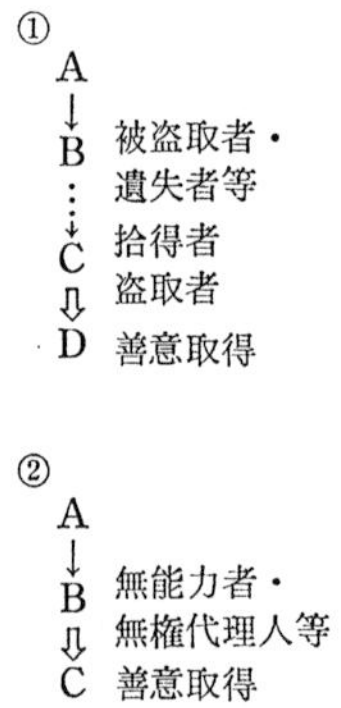

①
A
↓ 被盗取者・遺失者等
B
⋮ 拾得者
↓ 盗取者
C
⇩
D 善意取得

②
A
↓
B 無能力者・無権代理人等
⇩
C 善意取得

N　②説を無能力者の例について具体化しますと，図11②のように，未成年者BがAから手形の振出を受け，法定代理人の同意を得ずにCにこの手形を裏書譲渡し，CがBの無能力につき悪意・重過失なしにこれを取得した場合には，Bの裏書がその無能力を理由に取り消されたとしても，Cはこの手形を善意取得し，Bは権利を失うということですか。

M　そういうことです。

N　①説によると，上の場合にCの善意取得を否定するということですが，「事由の何たるを問わず」という表現から①説のような結果が導かれるのでしょうか。

T　善意取得の適用範囲に関する見解の対立は，たんに条文の表現の解釈問題が原因になっているだけでなく，もっと基本的な問題に根ざしているのですが，N君が関心を持っている条文の表現ももちろん無視できません。その点はどうなりますか。

M　それは，その後に続く「手形の占有を失いたる者ある場合において」という表現が関係するのではないですか。

T　その通りです。その部分の文字通りの解釈からいうと，手形を盗まれ，あるいは落とした場合にはそれに該当することが明らかですが，無能力者が手形を裏書譲渡した場合にはそれに該当しないというのが①説の条文解釈上の根拠になっているということができるでしょう。

N　なるほど「手形の占有を失いたる者」という表現を重視すると，①説になり，「事由の何たるを問わず」という表現を重視して，「占有を失う」という表現にこだわらないと②説になるということでしょうか。

T　そういうことがいえるでしょう。しかし，さらに基本的には，善意取得制度を，(イ)裏書の連続のある手形所持人が権利者と推定されるということから直接に導かれる制度と考えるか，それとも，(ロ)そのことを基礎としながらも，さらに広く，手形権利移転行為に瑕疵がある場合につき，その瑕疵を一般的に治癒して，手形取得者を保護する制度と考えるかという考え方の違いにより，①説と②説との差異が生ずるわけです。

N　前に，裏書の連続のある手形所持人は手形上の権利者と推定されるが，その者が行為能力者であるとか，その代理人と称する者が真実代理権を有するとか，手形を占有している者が最終の被裏書人と同一人であるという推定がなされることはないという議論をしましたが（⇨★ ***80***），そのことと関係があるのですか。

T　その通りです。受取人Bが無能力者である場合に，Bは決して能力者と推定されるわけではないから，①説の考え方をとると，その者からの譲受人は善意取得による保護を受けないということになるわけです。

N　①説によると，裏書の連続のある手形所持人を権利者と信頼してその者から手形を譲り受けたところが，その者が無権利者だったという場合にだけ，善意取得の保護があるということになるわけですね。

T　その通りです。

M　かつては①説が通説でしたが，近時は手形取得者の保護を徹底するという観点から，②説が通説的地位を占めているということができます（鈴木252頁，前田197頁以下）。

N　いま，ちょっと思いついたことですが，①説によると，Bから手形を盗んだCが，BC間の裏書を偽造してさらにDに裏書譲渡した場合には，Dの善意取得が認められるのに対して，B代理人Cとして，あるいは直接にB名義でDに裏書をした場合にはDの善意取得が認められないということになりますね。それよりは，両方の場合に善意取得を認める②説が妥当だと思います。

T　もっともな意見だと思います。

★ *94*　㈥　善意取得の要件

T　善意取得の要件について説明して下さい。

ⓐ　裏書の連続のある手形の取得者

M　第1に，裏書の連続のある手形の取得者であることが必要です。①説によればもちろんですが，②説によっても，善意取得制度は裏書の連続のある手形所持人が権利者と推定されるということが基礎にあることは否定されないわけですから，このことは当然に善意取得の要件になります。

N　おっしゃることはよくわかります。ただ，前に，裏書の連続が一部につき欠いていても，その部分につき実質的に権利が移転しているという証明がなされた場合には，他の裏書の資格授与的効力は否定されないという議論をしました（⇨★*77*）が，それと同じことが善意取得についてもあてはまらないでしょうか。

T　それはもっともな疑問です。この点については，異論もありますが，裏書の連続の効果を，振出ないし個々の裏書の資格授与的効力の集積と解すれば，善意取得についても，いまN君が指摘した通りに考えるべきです。

図12

A
↓
B　被相続人
↓
C　相 続 人
↓
D　被盗取者
↓
E　盗 取 者
⇩
F　善意取得

N　具体的にいうと，BがAから手形の振出を受けて死亡し，Cがこれを相続しDに裏書譲渡し，Eがこれを盗取してDE間の裏書を偽造し，Fに裏書譲渡したという場合には，BC間で裏書の連続を欠きますが，相続によって権利は移転しているわけですから，A→B，C→D，D→Eの資格授与的効力が認められると考えれば，Fは善意取得するということになりますね。

T　そういうことです。

★*95*　ⓑ　悪意・重過失のない取得者

M　第2の要件として，権利移転行為の瑕疵（①説によれば譲渡人が無権利者であること）につき，悪意・重過失のない取得者であることがあげられます。

N　悪意というのはわかりますが，重過失があるというのは，どういう場合でしょうか。

M　社会通念から判断して，権利移転行為に瑕疵があることを疑うべき理由があるにもかかわらず，なんの調査もしないで手形を取得した場合をいい，疑うべき理由がないときは調査しないで取得しても重過失があるとはいえません。

★*96*　ⓒ　手形法的方法による取得者

M　第3に，裏書による取得者または最後の裏書が白地式の手形（裏書がなされていないときは受取人白地の手形を含む）をその交付を受けて取得した者であることが要件です。手形法で定められた方法（手14条1項・2項3号）による譲受人でなければ，手形法的な保護は与えられません。

N　裏書禁止手形の場合や，相続による権利移転の場合に善意取得が認められないのも，その一例ですね（⇨★ ***67, 68***）。

M　そういうことです。

★ *97*　　ⓓ　呈示期間内の取得者であること

M　第4に，呈示期間内の取得者であることが要件としてあげられます。手形法20条1項但書は，支払拒絶証書作成後の裏書または支払拒絶証書作成期間――これが呈示期間に相当します――経過後の裏書は指名債権譲渡の効力のみを有するとして，善意取得や人的抗弁の効力を否定しております。

N　それはどうしてでしょうか。

M　呈示期間経過後はすでに支払ないし遡求の段階に入っているので，手形取得者保護制度を適用しないことにしたのです。

ⓔ　そ　の　他

M　取立委任裏書（かくれた取立委任裏書を含む）にも善意取得は認められません。

T　その点はまた後で論ずることにしましょう（⇨★ ***112, 114***）。

★ *98*　　(4)　人的抗弁の切断

ⓐ　意義および要件

T　人的抗弁の切断というのはどういう制度ですか。

M　それは，手形法17条に規定されているもので，手形抗弁のところで論じた狭義の人的抗弁の対抗を受ける者（⇨★ ***87***）からの譲受人を保護する制度です。

N　手形法17条の表現に合わせて具体的に説明していただけませんか。

M　手形法17条本文は「……手形により請求を受けた者は振出人その他所持人の前者に対する人的関係に基づく抗弁をもって所持人に対抗することを得ず」と規定しております。ここで「振出人」というのは為替手形に関するものですから，約束手形については，それをはずして，「……手形により請求を受けた者は所持人の前者に対する……」と読むことになります。そして，「人的関係に基づく抗弁」というのは，手形抗弁のなかの狭義の人的抗弁を意味します。

図13

A 請求を受けた者（債務者）
↓ 人的抗弁
B 所持人の前者
↓
C 所持人

N　そうすると，約束手形がAからBに振り出され，それがCに譲渡された場合についてみると，Aは，Bに対して狭義の人的抗弁を主張できる場合にも，これをCに対しては主張できないということになりますね。

T　その通りです。

M　人的抗弁切断の保護を受けるためには，次に述べるように手形法17条但書に該当しないことが必要であるほか善意取得の場合と同じように，手形法的移転方法による期限内の取得者であることが必要であり，また取立委任裏書の場合にはこの保護は受けられません（⇨★***96***以下）。

★*99*　㋺ 悪意の抗弁

T　手形法17条但書は，「所持人（C）が債務者（A）を害することを知って手形を取得したときは」人的抗弁切断の保護を受けないと規定しており，これを一般に「悪意の抗弁」と呼んでおります。これについて取り上げましょう。

N 「悪意」という表現を使わないで，「債務者を害することを知って」という表現が用いられたのには，なにか理由があるのでしょうか。

T　その結論を出す前に，具体的にどのような場合に悪意の抗弁が成立するかを検討しましょう。M君，悪意の抗弁が成立する具体例をあげて下さい。

ⓐ　原因関係上解除権・取消権等が発生している場合

M　AB間の原因関係上，Bの不履行によりAに解除権が発生しているがまだそれを行使していないという事情が存在し，Cはそのような事情を知って手形を取得した場合には，AはCに対して悪意の抗弁を主張できるというのが通説・判例（大判昭19・6・23民集23巻378頁）です。

N　Aに原因関係上，解除権や取消権が発生しているときは，例外的にはその後に解除事由や取消事由が解消する――たとえばBの契約履行により――ことがありうるとしても，一般的にはそれらの権利が行使されて原因関係が消滅するにいたることになりますから，Aに原因関係上そのような権利が発生していることをCが知って手形を取得することは，Aを害することを知って取得したことになるということでしょうね。

T　その通りです。

N　しかし，その場合はまさにAに人的抗弁——支払を拒みうる事由——があることを知ってCが手形を取得したことになりますから，人的抗弁について「悪意」ですね。

★ *100*　ⓑ　債務不履行になること等が確実と見込まれる場合

M　次に悪意の抗弁が成立する例として，ⓐの場合と異なり，たとえばAB間の契約履行期が到来していないため，まだBの契約不履行によるAの解除権は発生していないが，Bが履行期に契約を履行できないことが確実だということを知ってCが手形を取得した場合も，AはCに悪意の抗弁を主張できるというのが通説・判例（最判昭30・5・31民集9巻6号811頁）です。

N　その判決はどういう事例に関するものですか。

M　Aが木材代金の前払としてBに手形を振り出したが，BがAに木材を供給するにはその手形の割引を受けてその割引金で木材を購入してAに供給する以外に方法がないという事情があり，Cはそのような事情を知っていたにもかかわらず，自分のBに対する債権の支払を受けるためにBから裏書譲渡を受けたというものです。

N　なるほど。その場合はAにとってまだ具体的には人的抗弁——解除権など——が成立していませんから，それについての悪意ということも問題になりませんが，Bが契約を履行できないことは確実だということを知ってCが手形を取得していますから，まさに「債務者を害することを知って取得した場合」になりますね。手形法17条但書がそういう表現を使っている理由がわかりました。

★ *101*　ⓒ　相殺を主張することが確実と見込まれる場合

M　さらにAがBに反対債権を有していてBの手形金請求に対して相殺の主張をすることができる場合については，たんにAが相殺権を有するという事実を知ってCが手形を取得したというだけでは悪意の抗弁は成立せず，たとえばBの財産状態が悪いというような事情があってAが相殺を主張することが確実だという事情がある場合に，そのことを知って取得したときだけ悪意の抗弁が成立すると解されています。

N　解除権がある場合と異なり，相殺権の場合には，それが存在していても，必ずしも行使されるとはいえないということから，そのような解釈がなされているのでしょうか。

T　その通りです。

★*102*　ⓓ　融通手形の場合

M　融通手形の場合には，そのこと——融通手形であること——を知ってCが手形を取得しただけでは悪意の抗弁は成立しません——その点で一般の人的抗弁に対する特殊性があるといわれています——が，BがAに満期までに支払資金を供給できないことは確実だという事情がある場合に，Cがそのことを知って手形を取得したときは悪意の抗弁が成立すると解されています。

N　融通手形についてちょっと説明していただけませんか。

M　Bが他から融資を受けたいが，自分の信用だけでは融資を受けられないときは，Aから手形を振り出してもらって，Bが融資者Cに裏書譲渡するという方法によって融資を受けることがあり，この場合にAがBに対して振り出す手形を融通手形といいます。

N　そうすると，満期にはCはAに手形金を請求することになりますが，その支払資金はどうなりますか。

T　それはBが満期までにAに供給することになります。そうでなければ，Bは満期までにCからこの手形を買い戻すことになります。

N　そうすると，AB間でBがAに支払資金を供給する義務があるわけですから，それを供給できないのは確実だというのは，先ほどのⓑの場合と全く同じ状況ですね。

T　その通りです。

★*103*　ⓔ　ま と め

M　結局，満期において，AがBに対して，①手形金の支払を拒みうることが確実であり，かつ②拒むことが確実だと予測される事情が存在する場合に，この事情を知って手形を取得した者は悪意の抗弁の対抗を受けることになります。

N　②は相殺の場合を考えているのでしょうね。

T　その通りです。

★*104*　(5)　手形行為独立の原則と善意取得との関係

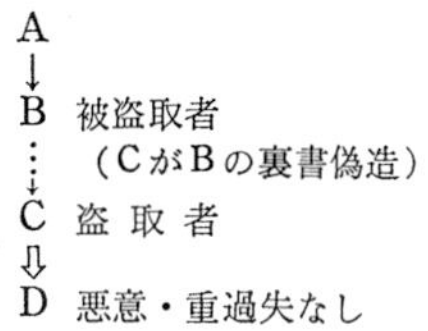

T　前に，図10（図14）で，Dは善意取得制度により手形上の権利を取得するということを論じましたが（⇨★ ***92***），だれに対する手形上の権利を取得しますか。

図14

A
↓
B　被盗取者
（CがBの裏書偽造）
↓
C　盗取者
⇩
D　悪意・重過失なし

N　AとCに対する権利です。

T　そうですね。そこで，Cに対する権利を取得するというためには，Cが手形上の債務を負担していることをいう必要がありますが，それはどういう制度によりますか。

M　Cの裏書はBの裏書を前提としておりますが，その前提であるBの裏書が偽造により無効でBが手形債務を負担しない場合にも，それを前提とするCの裏書が有効かということが問題になり，前に論じた手形行為独立の原則により，Cは手形債務を負担するということになります。

N　前に，手形行為独立の原則はもっぱら手形債務負担行為の面の問題であり，したがって取得者——上記の例ではD——の善意・悪意とは無関係だということを論じましたが（⇨★ ***91***），善意取得制度においては取得者に悪意・重過失がないことが要件になります。そこで，上記の例で，手形行為独立の原則と善意取得とがどのように適用されるのか，なんとなくすっきりしないのですが……。

M　それはこういうことではないでしょうか。まず，Cが手形債務を負担するかどうかは，もっぱら手形行為独立の原則の適用によるのであって，取得者Dの善意・悪意にはかかわりがありません。これに対して，善意取得制度は手形上の債務を負担しているAおよびCに対する権利をDが取得するかどうかという手形権利移転行為の面に関するものであって，その悪意・重過失の有無が問題になるわけです。

N　Cが手形債務を負担するかどうかは，Dの善意・悪意にかかわりないとすると，CはDがCの無権利者であることにつき悪意であっても手形債務を負担するということですか。

M　その通りです。

N　しかし，Dが悪意で手形上の権利を善意取得しない場合には，Cが手形行為独立の原則により手形債務を負担するといってみても，意味がないのではないかと思いますが……。

M　もちろん，悪意のDが手形を所持しているかぎりでは意味がありませんが，Dがそれを悪意・重過失のないEに譲渡して，Eが善意取得した場合には，Cが手形債務を負担したことが具体的に意味を持ってくるわけです。

N　なるほど。その点はわかりました。しかし，悪意のDが手形を所持している場合に，Dは手形上の権利を取得しないがCが手形債務を負っているとすると，その段階ではCに対する権利はだれが取得していることになりますか。

M　その問題は考えたことがありませんが，創造説の立場では，Cは裏書人として署名することによって手形債務を負担し，それに対応する権利を自分自身が取得することになるのではないでしょうか。

N　しかし，そのことはCが盗取者の場合にも，妥当するのでしょうか。盗取者が裏書をすることによって，自分自身に対して権利を取得するということは，なんとなく腑に落ちません。それが妥当するとすると，Aに対する手形上の権利はDが善意取得しない以上，Bに帰属することになりますが，同じ手形に結合しているCに対する権利はC自身に帰属することになって，権利の分属が生じてしまいますが……。そして，このような分属を認めると，BはCに対して手形の返還を請求できることをどうやって説明するかが問題になると思いますが……。

T　その点はたしかに問題ですね。私も，盗取者Cについて自分自身に対する権利を取得するという構成をとるべきでないと考えます。そうすると，Cに対する権利もその時の権利者であるBに帰属すると解すべきではないかと考えます。しかし，Bはその後者であるCに対して手形上の権利を行使できるわけではなく，この手形につき善意取得者が生じた場合に，Bがその有している権利を失って，それまでBに属していたAおよびCに対する手形上の権利が善意取得者に属することになり，その者はCに対しても現実に権利を行使できるようになると解すべきでしょう。

★ *105*　(6)　善意取得と人的抗弁切断との関係——手形権利移転行為有因論と関連して——

M　手形権利移転行為有因論をとった場合の善意取得と人的抗弁切断との関係について質問があります。たとえば振出人Aと受取人Bとの間の原因関係が

Aの解除権・取消権等の行使によって消滅した場合に，Bからの譲受人Cが保護されるための要件は，有因論をとるかどうかで異なり，有因論をとらない方がCの保護が厚くなるのですが，この点は有因論にとってマイナスではないでしょうか。

N　Mさんの質問の趣旨は，有因論によれば，Bは無権利者になるから，Cは善意取得の要件をみたさなければ保護されず，したがって重過失があっても保護されないことになるのに対して，有因論をとらなければ，Bは手形上の権利者ですから，Cは人的抗弁切断制度によって保護され，したがって重過失があっても保護されるということですね。

M　その通りです。手形権利移転行為有因論は，BC間の原因関係が消滅した場合にCがAに対して権利を行使できないことを説明する理論としてはたしかにすぐれた理論だと思います。しかし，先ほど指摘したようなマイナスの面も否定できないという感じがするのですが……。

N　私はそうはいえないと思います。有因論あるいはその基礎になっている創造説は，これまで論じたところからも明らかなように，手形法における重要な制度の解明に貢献をしたことは大いに評価すべきだと思います。そして，Mさんがマイナスの要素だとおっしゃった点も，はたしてそうなのかどうか。Aがまだ解除権を行使せず，したがってBがAに手形の返還義務を負っていない場合と，これを行使してBが手形の返還義務を負った場合とで，Bからの取得者Cの保護の要件に差異が生ずるということは，十分説明がつくと思いますが……。

T　2人ともなかなかいい議論をしてますね。M君の提起した問題は，学者の間でも議論があって，相対的有因論といって，先ほどM君があげた例で，CのAに対する権利行使を否定する面では有因論によってCを無権利者と構成し，そのCから権利を譲り受ける者の保護の面ではCを権利者と構成してその者からの譲受人は人的抗弁切断によって保護されるという見解も主張されています。

N　そういう議論はいかにも巧妙というか器用というか，そういう感じがしますが，逆にいうと不徹底な感じがします。

T　私もN君のいったことに同感です。開き直った議論になるかもしれませんが，立法論として，はたして善意取得と人的抗弁切断とで主観的要件に差異を設ける必要があるかどうかはひとつの問題です。英米法ではこれに差異を設けておりません。しかし，両者に差異を設けている現行法の解釈としては，手形の返還義務を負う者は，盗取者または拾得者であれ，原因関係につき解除権または取消権を行使された者であれ，同じ法的地位にあり，したがってその者からの譲受人も同じ要件をみたさなければ保護されないという結論は，むしろ合理的ではないかと考えております。

M　意地悪な質問かもしれませんが，手形法16条2項は，「……手形の占有を失いたる者ある場合において」という表現を用いておりますが，たとえばBがCに手形を裏書譲渡したところが，BC間の原因関係が消滅したという場合には，Bは「手形の占有を失いたる者ある場合」に該当しませんから，この規定の適用の余地がなく，やはり手形法17条の問題になるのではないでしょうか。

N　もう少し具体的に説明していただけませんか。

M　手形を盗まれたり，落としたりした者はたしかに「手形の占有を失いたる者」に該当します。手形法16条2項は，そのような者がいる場合に，その手形を悪意・重過失なく取得した者は善意取得するという趣旨の規定です。ところが，先ほどの例のBは手形をCに交付したのであって，その占有を失った者ではありませんから，その規定の適用の余地がないのではないかということです。

N　なるほど，それは鋭い指摘ですね。感心しました。

T　たしかに，いまM君の指摘した点を根拠に，相対的有因論をとる見解もあります。しかし，私はその点は決定的な問題ではないと考えます。というのはこういうことです。まえに善意取得の適用範囲について議論したことがありますが，それを広く解して，たとえば無能力者からの譲受人についても善意取得を認める立場をとった場合——われわれもそういう立場をとるべきだと考えたわけですが（⇨★ ***93***）——に，M君の提起した問題との関係はどうなりますか。

M　なるほど，参りました。無能力者Bが手形をCに譲渡した場合にはBが手形の占有を失った場合に当たりませんね。それにもかかわらず，その場合については16条2項の適用を認める以上は，BC間の原因関係が消滅した場合にその適用が認められないというのは，一貫しませんね。

N　なるほど，さすがですね。

T　そうおだてないで下さい。

★106　(7)　善意取得者等から悪意で手形を取得した者の地位

N　質問があるのですが，図15のように，善意取得者Dからの譲受人Eが，Cが盗取者であることにつき悪意の場合に，Eが手形上の権利者になるのでしょうか。

図15

A
↓
B　被盗取者
⋮
C　盗取者
⇩
D　善意取得者
↓
E　悪　意

M　いったん善意取得者が生ずれば，その後の取得者は悪意でも手形上の権利を取得すると解されています。

N　しかし，善意取得というのは善意の取得者を保護する制度ですから，Eが悪意の場合には保護する必要がないと思うのですが……。

T　N君のような疑問はよく聞きます。そこで善意取得とはどういうものかを基本に戻って考えてみましょう。それは譲渡人が無権利者であるとか，その他の権利移転行為の瑕疵がある場合にも，それにつき悪意・重過失のない取得者は手形上の権利を取得するという制度ですね。この制度により，N君のあげた例では，DはCの有しない権利を取得することになるわけです。そこでさらにDE間の譲渡についてみると，それについて善意取得ということを問題にする必要がありますか。

M　Dは完全な手形上の権利者であって，しかもDE間の権利譲渡行為にはなんの瑕疵もありませんから，善意取得を問題とするまでもなく，Eは悪意でも一般原則によりDの権利を承継取得することになります。

N　理屈としてそうなるということはわかるのですが，なんとなく抵抗感があるのですが……。たとえば，EがCを唆してBから手形を盗ませ，善意のDに譲渡させて，Dから自分が譲り受ければ，完全に手形上の権利者になるという結果には疑問を感じます。

T　面白い例をあげましたね。その例は，Cが盗取者であることについて悪意であるだけというだけでなく，Cの盗取を教唆した場合ですね。この場合についてどう考えますか。

M　たしかにその場合についてはN君の疑問はもっともだと思います。しかし，DがCの身代り的存在である場合——その場合はDは善意取得しないと思います——はともかく，そうでなく善意取得の要件をみたしている場合には，それによりBが権利を失うわけですから，Eが権利を取得しないとすると，逆にだれが権利者になるのかという疑問も生ずるのではないでしょうか。

N　いま思いついたのですが，さらに極端な例として，盗取者C自身が善意取得者Dから譲り受けた場合でも，CがDから権利を承継取得することになるのでしょうか。

T　うまい例を考えましたね。実は私も同じ疑問を感じているのです。すなわち，Dからの譲受人が盗取者自身である場合またはその盗取行為等を教唆，幇助する等，その行為に関与している場合には，たんに悪意である場合と異なり，権利を取得できないと考えているのです（前田201頁以下，225頁）。

M　その結果にはもちろん賛成ですが，それをどういう理論によって導くのでしょうか。

T　たしかにその点が問題です。C自身が取得した場合には，その盗取者としての地位はDから譲り受けた場合にも継続するという説明が可能でしょう。Cの盗取行為に関与した者については，信義則違反というような一般条項によると説明するほかないでしょう。

N　先生のきらいな一般条項が持ち出されましたね。

T　私は安易に一般条項を使用してはならないといっているだけで，これを一切使用してはならないといっているわけではありませんから，誤解なく。

M　もうひとつ質問ですが，CなりEなりが権利を取得しないとすると，だれが手形上の権利者になるのでしょうか。

N　それはBかDかどちらかではないでしょうか。

M　しかし，DはCなりEなりから対価を得て譲渡しているわけですから，依然として権利者だというのはおかしいのではないでしょうか。

T　その通りですね。権利者はBだということになるでしょう。Bは通常の場合は，手形を盗取されて善意取得されれば，権利を失って損失を蒙るわけですが，その後，権利を取得させることが信義則上許されない者に譲渡された場合には，権利を回復して損失が塡補されると解することになるわけです。このような解決で，N君の疑問は解消しましたか。

N　たんなる悪意の取得者とそれより悪質な取得者とで区別するということで納得しました。こういう場合には信義則を持ち出さざるをえないということも，やむをえないと思います。

M　人的抗弁切断の利益を受けた者からの悪意の取得者も，原則としては保護されるということになるわけですね。

T　その通りです。表見代理による保護を受ける者（⇨★*34*以下）からの悪意の取得者についても，同様です。

10　特殊の譲渡裏書

T　譲渡裏書のうちの特殊なものについて取り上げましょう。どんなものがありますか。

★*107*　(1)　無担保裏書

M　まず，無担保裏書というのがあります。手形法15条1項・77条1項1号は，裏書人は反対の文言がないかぎり支払を担保する（引受を担保する旨の文言は為替手形にだけ適用されますので，ここでははずして読みます）と規定しておりますが，この「反対の文言」を記載した裏書が無担保裏書で，その裏書人は担保責任を負いません。

N　そうすると，無担保裏書の場合には，権利移転的効力と資格授与的効力はありますが，担保的効力はないということになりますか。

M　その通りです。

N　これまで，創造説の立場では，手形行為について，手形債務負担行為と手形権利移転行為との2元的構成をとっていましたが，無担保裏書の場合には，手形権利移転行為だけからなる手形行為ということになるわけですね。

T　そういうことです。また，後でも取り上げますが，手形保証や為替手形の引受の場合には，手形債務負担行為だけで手形権利移転行為はないと考えています（⇨★*180*）。

★*108*　(2)　裏書禁止裏書

M　裏書禁止裏書というのは，手形法15条2項・77条1項1号に規定されているもので，新たな裏書を禁止する趣旨の記載がなされたものです。この記載に反してその後の裏書がなされた場合には，裏書禁止裏書の裏書人はその後の裏書の被裏書人に対して担保責任を負いません。

N　15条2項後段の「其ノ裏書人」とか「爾後ノ被裏書人」という表現がはっきりしないので，具体例で説明して下さい。

図16

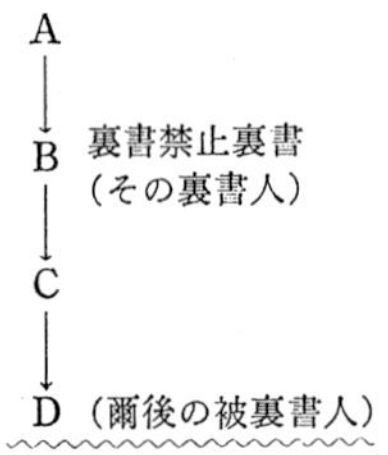

A
↓
B　裏書禁止裏書
　（その裏書人）
↓
C
↓
D（爾後の被裏書人）

M　AがBに手形を振り出して，BがCに裏書禁止裏書をしたにもかかわらず，Cがそれに反してDに裏書をした場合に，BはCに対しては担保責任を負いますが，Dに対しては担保責任を負わないということです。

N「爾後の被裏書人」というとCも含まれるように思ったのですが，Cはそれに含まれず，Dがそれに該当するということですね。

T　その通りです。Cも含むとすると無担保裏書になってしまいます。

N　まえに裏書禁止手形について取り上げましたが（⇨★ *67*），それとはどう違うのですか。

M　裏書禁止手形は，振出人が裏書を禁ずる趣旨を記載したものですので，その趣旨が基本手形の内容になり，裏書による譲渡自体ができなくなるのに対して，裏書禁止裏書は裏書人が裏書を禁ずる趣旨を記載したものですので，手形の裏書による譲渡ができなくなるわけではなく，ただその裏書をした者の担保責任が先ほどのように制限されるにすぎません。

N　わかりました。それはどういう目的でなされるのですか。

M　それは裏書禁止手形と同じで，先ほどの例でいうと，BのCに対する抗弁がその後の裏書によって切断されることを阻止するためです。

T　その通りです。その目的からすると，BがDに対して担保責任を一切負わないという必要がなく，Cに対する抗弁をDに対しても主張できるとすれば十分なはずです。そこで，そのように解釈する見解も有力です（鈴木260頁）。

★ *109*　(3)　期限後裏書

M　期限後裏書というのは手形法20条1項但書・77条1項1号に規定されているもので，支払拒絶証書作成後の裏書または支払拒絶証書作成期間——支払呈示期間と同じです（手38条1項・44条3項）——経過後になされた裏書で，その裏書には指名債権譲渡の効力しか認められません。

N　20条1項本文は，満期後の裏書は満期前の裏書と同一の効力を有すると規定していますが，期限後裏書というのは満期後の裏書とは異なるわけですね。

M　異なります。満期後でも，支払拒絶証書が作成されるまで，またはそれが作成されないときは呈示期間が経過するまでになされたものは，通常の裏書で，期限後裏書ではありません。

N　指名債権譲渡の効力のみを有すというのは具体的にはどういうことですか。

M　人的抗弁切断や善意取得の制度が適用されず，裏書人の担保責任も生じないということです。先ほどから問題とされた権利譲渡の効力の強化という効果（⇨★ ***65***）が認められないということです。

N　たしかに指名債権の譲渡にはそのような制度が設けられていませんが，どうして期限後裏書の効力をそのように制限したのですか。

M　支払拒絶証書作成後または呈示期間経過後は，支払または遡求の段階に入っているから，流通保護のための制度は適用しないことにしたと説明されています。

11　特殊の裏書

T　それでは，特殊の裏書として取立委任裏書と質入裏書を取り上げましょう。

★ ***110***　(1)　取立委任裏書

㋑　取立委任裏書の意義

T　はじめに取立委任裏書について，どういうものか説明して下さい。

M　それは，約束手形の経済的機能のところでも触れられたと思いますが（⇨★ ***45***），たとえばAから約束手形の振出を受けたBが，満期に自分で支払をなすべき場所（⇨★ ***53***）に支払のための呈示をすることなく，第三者C――取引銀行の場合が普通です――に依頼して支払のための呈示をしてもらうために，Cに裏書をすることです。

N　その裏書にはどういう記載がなされるのですか。

M　前に掲げた裏書欄の記載例（⇨77頁）で，「目的」欄に「取立のため」，

「代理のため」等の記載をして裏書人が署名をする方式の場合（手18条1項）と，そのような記載をしない普通の裏書の方式の場合とがあり，前の場合を公然の取立委任裏書，後の場合をかくれた取立委任裏書といいます。たんに取立委任裏書というのは，普通は前の場合を指します。

N　かくれた取立委任裏書の場合には，それと譲渡裏書との区別はどこでするのですか。

M　外形からは区別がつきません。裏書人と被裏書人との関係から判断するしかありません。

★*111*　㋺　公然の取立委任裏書

T　はじめに公然の取立委任裏書について取り上げましょう。それはどのような効力がありますか。

ⓐ　一切の権利を行使する権限

M　その裏書により，裏書人は被裏書人に対して手形金取立の代理権を授与することになります。手形法18条1項本文は，このことを，被裏書人の権限の側から，「手形より生ずる一切の権利を行使することができる」と表現しております。

N　「一切の権利」とはどの範囲までを含みますか。

M　手形の呈示はもちろん，支払拒絶の場合の支払拒絶証書の作成，遡求権の行使，遡求の通知，さらには手形金請求訴訟の提起まで含みます。しかし，被裏書人は，手形金取立の代理権を有するだけですから，取立委任裏書をすることはできますが，譲渡裏書をすることはできません（手18条1項但書）。

N　わかりました。結局，取立委任裏書の場合には，譲渡裏書の場合の権利移転的効力に対応するのが代理権授与的効力だということになるわけですね。譲渡裏書に認められている資格授与的効力とか担保的効力に対応するものはどうなりますか。

M　資格授与的効力は認められます。しかし，譲渡裏書の場合の資格授与的効力は被裏書人が手形上の権利者と推定されるという効力ですが，取立委任裏書の場合は，いまN君のいった代理権授与的効力に対応して，被裏書人は代理権を授与されたと推定されるという効力です。担保的効力は取立委任裏書の場合には認められません。

N　わかりました。担保的効力が認められないのは考えてみれば当然ですね。裏書人から代理権を与えられているにすぎない被裏書人が，振出人の支払拒絶の場合に，裏書人に遡求権を行使するということは考えられませんからね。

T　その通りですね。

★ *112*　ⓑ　人的抗弁切断・善意取得の適用の有無

T　人的抗弁切断や善意取得の関係はどうなりますか。

N　それもいま取り上げた担保的効力の有無の問題と同じように考えられるのではないでしょうか。Bが人的抗弁の対抗を受ける者である場合に，Bの代理人として手形金を取り立てるにすぎない者が人的抗弁切断の保護を受けるのはおかしいと思います。手形の盗取者から手形金取立の代理権を受けた者が善意取得するのもおかしいと思います。

T　その通りですね。取立委任裏書の被裏書人には，その善意・悪意にかかわりなく，人的抗弁切断や善意取得は認められません。人的抗弁切断が認められないことは18条2項に規定されておりますが，善意取得が認められないことについては特に明文の規定はなく，解釈によります。

★ *113*　ⓒ　被裏書人自身に対する抗弁の援用の可否

N　いま人的抗弁切断が認められないことについて18条2項によるとおっしゃいましたが，そこでは，「債務者（A）が所持人（C）に対抗することができる抗弁は裏書人（B）に対抗することができるものにかぎる」と規定されていて，AがB（取立委任裏書の裏書人）に対する抗弁をC（取立委任裏書の被裏書人）に対しても対抗できるというように規定されていないのはなぜでしょうか。

M　それはひとつの表現でふたつのことをいおうとしているからだと思います。ひとつは，いままで問題にしたこと，すなわち人的抗弁切断が認められないことで，もうひとつは，AがC自身に対して人的抗弁を有していても，それはCに対して主張することができないということです。

N　もっと具体的に説明して下さい。

M　たとえば，AがCに対して債権を有していてCの手形金請求に対して相殺を主張できる場合でも，BC間の裏書が取立委任裏書であれば，AはCの手形金請求に対して相殺を主張できないということです。

N　なるほど，わかりました。取立委任裏書の場合には，CはBの代理人として請求するわけですから，C自身に対する抗弁を主張できないのは当然ですね。

T　そういうことです。

★ *114*　㈥　かくれた取立委任裏書

T　それでは次にかくれた取立委任裏書について取り上げましょう。これについてはどういうことが問題とされていますか。

M　かくれた取立委任裏書の場合には，その裏書がなされる目的は取立の委任ですが，その目的を実現するために譲渡裏書がなされているというように，目的と法的形式とが異なりますので，その法的性質をどのように理解するかが問題となり，学説が対立しています。

T　そうですね。それでは学説を紹介して下さい。

M　2つに大別すると，信託裏書説と権限授与説（資格授与説）に分けられます。信託裏書説はその法的形式を重視するもので，それによれば，手形上の権利は被裏書人Cに完全に移転し，その目的が取立委任であるということは裏書人・被裏書人間の手形外の人的関係にすぎないから，人的抗弁として主張することができるにすぎないことになります。権限授与説はその実質を重視するもので，それによれば，手形上の権利は被裏書人に移転せず，被裏書人は自分の名で裏書人のために手形上の権利を行使する権限が与えられるにすぎないということになります。

N　どちらの説をとるかによって結果に差異が生ずるのでしょうか。

①　被裏書人自身に対する抗弁の主張の可否

M　それについては次のような観点から問題とされています。第1に，債務者Aは被裏書人C自身に対する抗弁，たとえばC自身に対する債権による相殺を主張できるかということで，先ほど公然の取立委任裏書では明文上それを主張できないとされているといいました。かくれた取立委任裏書の場合，信託裏書説によれば，BC間で譲渡裏書がなされている以上，Bはそれによる不利益を受けてもやむをえず，AはC自身に対する抗弁を主張できると解されますが，権限授与説によれば，BC間で権利が移転していない以上，AはC自身に対する抗弁を主張できないと解されます。

N　信託裏書説によれば，かくれた取立委任裏書は信託法にいう信託の設定と解することになるのでしょうか。

T　その点は従来は必ずしも明確にされていなかったと思います。しかし，かくれた取立委任裏書は，信託法1条にいう「財産権（手形上の権利）の移転（譲渡裏書）をし，他人（C）をして一定の目的（取立委任の目的）に従い財産（手形）の管理または処分をなさしむる」という信託の定義にまさにあてはまると考えられます。

N　そうだとすると，信託裏書説をとり，それは信託法上の信託と考えるべきだと思いますが，信託法の考え方によった場合にここでの問題はどうなるのでしょうか。

T　それは信託の対抗要件の問題に関係します。ＢＣ間の譲渡が信託によるものであることをＡに対して対抗できる場合には，その手形はＣの一般財産ではないということをＡに主張できますから，ＡのＣ自身に対する抗弁の主張を拒むことができます。しかし，手形のような有価証券の信託の場合には，信託であることを第三者Ａに対抗するためには証券に信託財産であることを表示しなければなりませんが（信託3条2項），かくれた取立委任裏書の場合にはそのような対抗要件をみたしていませんから，信託裏書説のいう通り，ＡはＣ自身に対する抗弁を主張できると解することになります。

M　権限授与説の立場からは，かりにＣが手形を呈示して支払を求めた場合に，ＡがＣ自身に対する債権を自働債権として相殺を主張して支払を拒んだときは，Ｃが公然の取立委任裏書に書き直して呈示すれば相殺の主張を受けないですむことになり，そうだとすると信託裏書説のような考え方をとっても無意味だということがいわれていますが……。

T　たしかにそのようにいわれていますが，私はそのような議論が成り立つかどうか疑問に思っています。というのは，Ｃが譲渡裏書のままで手形を呈示し，Ａがこれに対してＣ自身に対する債権で相殺を主張した場合には，その段階でＡＣ間で相殺の効果は成立してしまうと考えられるからです。

N　権限授与説によると，どうもＢおよびＣにとって虫がよすぎる結果になる感じがするのですが……。というのは，公然の取立委任裏書によると，先ほども論じたように（⇨★ ***112***），人的抗弁切断の保護がなく，ＡはＢに対する抗弁をＣに主張できるわけですが，これを排除するためにかくれた取立委任裏書をしてAに請求し，AがC自身に対して抗弁を主張した場合には実質は取立委任であるということでその抗弁も排除できるということになり，両刀使いを認めるような感じになりますので……。

M　しかし，次に取り上げることですが，権限授与説によっても，AはBに対する抗弁をCに対して主張できますから，両刀使いを認めるわけではありません。

N　もちろん法律的にはそうでしょうが，AがBに対する抗弁をCに主張するためにはBC間の裏書が取立委任の目的でなされているということを立証しなければならないと思いますが，事実上は，Aにとってそのことを知っていることは稀でしょうから，それを立証することはきわめて困難だと思います。

T　面白い議論が続きましたね。私は，この問題に関しても，信託裏書説が適当だと思っておりますし，通説・判例も信託裏書説をとっているといってよいでしょう。それでは先に進みましょう。

②　人的抗弁・善意取得制度との関係

M　次に問題とされているのは，今も取り上げられたもので，Cにつき人的抗弁切断や善意取得の適用があるかということで，この点についてはいずれの見解によっても否定されていますが，その説明の仕方が異なります。権限授与説によると，BC間で権利が移転していませんからこの結果は当然だということになりますが，信託裏書説ですと，BC間で権利が移転しているが，Cに固有の経済的利益がないからこのような制度による利益を受けないと説明します。

N　信託法の考え方によった場合にはこの点はどうなりますか。

T　それは信託法13条の解釈問題になりますが，この場合，CはBの占有の瑕疵あるいは権利の瑕疵を引き継ぐと解されており（四宮80頁以下），同じ結果になります。

③　被裏書人の破産等の場合

M　最後の問題は，Cの破産等の場合にBがその手形の取戻権（破87条，会社更生62条）を主張できるかという問題であって，権限授与説ではその手形はBのものですからこれを行使できると解することになりますが，信託裏書説では見解が分かれており，Cの財産になってしまっているから，それを行使できないというものと，これを行使できるというものがあります。

N　信託裏書説によると，手形上の権利はBからCに移転することになるはずですが，それにもかかわらずBが取戻権を行使できるというのはどういう説明によるのでしょうか。

M　破産債権者にとっては，破産者Cの一般財産がその担保となっているにすぎないから，Cの破産債権者もCと同視して，Bは，Cに対してと同じようにCの債権者に対しても実質が取立委任であることを対抗できると解しています（鈴木273頁⒃）。

N　信託法の考え方によった場合にはどうなるでしょうか。

T　それも①と同じで，信託の対抗要件をみたしているかどうかが問題となり，かくれた取立委任裏書の場合にはそれをみたしておりませんから，Bは手形が信託財産であることをCの破産債権者に対抗できず，したがって取戻権を行使できないことになるのではないかと考えられます。もっとも，この点について，信託の対抗要件をみたしていなくても破産債権者に対抗できるという考え方もありますが（四宮・補遺㉑），そのような考え方によれば，信託法がなんのために信託の対抗要件を要求しているか説明がつかなくなってしまうのではないかと考えます。

④　結　　論

N　私は，いままでの議論からいって，かくれた取立委任裏書を信託法でいう信託と考えて，①，②および③の問題も信託法一般の考え方に従って解決するのが妥当ではないかと思います。

T　実は私もそう考えています（前田238頁）。

★*115*　⑵　質入裏書

㋑　公然の質入裏書とかくれた質入裏書との関係

T　それでは質入裏書を取り上げましょう。ここでも公然の質入裏書とかくれた質入裏書とがありますが，この2つの関係について，取立委任裏書と比較しながら説明して下さい。

M　質入裏書の場合には，取立委任裏書の場合と異なって，かくれた質入裏書の法的性質について特に議論がなされておりません。

N　かくれた質入裏書の場合にも，その目的は手形上の権利に対する担保権の設定であり，その法的形式は手形上の権利の譲渡であって，目的と法的形式とが異なるのに，その法的性質について議論されていないのはなぜでしょうか。

T　かくれた質入裏書の法的性質は，まさに譲渡担保です。その点についてはおそらく異論がありません。そして，かくれた質入裏書については，かくれた取立委任裏書において取り上げた①，②および③のような問題について議論を生ずる余地がないのです。

N　かくれた取立委任裏書については，それを信託法による信託とみた場合に，①，②および③の問題がどのように解決されるかを論じましたが，かくれた質入裏書は信託法にいう信託にはならないのでしょうか。

T　その点は，かくれた質入裏書だけでなく，譲渡担保一般について問題になることですが，信託法上の信託ではないと考えられます。というのは，かくれた質入裏書の場合には，かくれた取立委任裏書の場合と異なり，被裏書人Cは裏書人Bのためではなく，もっぱら自分自身のために手形を管理または処分することになりますので，信託法にいう信託には，該当しないと考えられているのです。信託法にいう信託といえるためには，受託者Cが受益者(かくれた取立委任裏書の場合のB）の利益のために権限を行使しなければならないと解されているのです（四宮5頁)。

N　わかりました。ところで，先ほどの①，②および③の問題は，質入裏書の場合にはどのように解決されるのですか。

M　①ではAはC自身に対する人的抗弁を主張することができ，②ではAはBに対する人的抗弁をCに対して主張することができず（手19条2項)，またCは善意取得の保護を受けることができます。③では公然の質入裏書の場合には，もちろん被担保債権を弁済して手形を取り戻すことができます。かくれた質入裏書の場合には，破産法88条または会社更生法63条を文字通りに解すると，Cの破産等の場合にBは取戻権を否定されますが，担保の実質に着眼して，被担保債権を弁済して手形を取り戻すことができるという見解もあります（三ケ月ほか557頁以下)。

N　いまの①および②の説明は，かくれた質入裏書にもあてはまるのですか。

M　その通りです。

N　実際には，どちらが利用されているのですか。

M　実際にはかくれた質入裏書が利用され，公然の質入裏書が利用されることはありません。それはかくれた質入裏書の方が公然の質入裏書より担保権者にとって税法上有利だからです。公然の質入裏書の場合には国税徴収法15条が適用されて，質入裏書が国税の法定納期限より後になされれば――質入裏書がなされた時に質権設定者がすでに国税を滞納しておれば――，国税の方が質権者よりも優先しますが，かくれた質入裏書の場合には，同法附則5条4項により，担保権者は常に国税に優先するからです。

★ *116*　(ロ)　被裏書人の権利

T　被裏書人は，担保権者としてどのような権利を有しますか。

M　手形法19条1項は，公然の質入裏書について，(イ)手形より生ずる一切の権利を行使することができるが，(ロ)Cのした裏書は代理のための裏書すなわち取立委任裏書の効力しかないと規定しております。かくれた質入裏書については，解釈上，(イ)はあてはまりますが，(ロ)は当然には適用されず，BC間に反対の特約がないかぎり，Cはそれを他に譲渡してその対価で被担保債権の満足を得ることもできると解されます。

N　(イ)の点についてですが，民法367条1項は，質権者は質権の目的である債権を直接に取り立てることができると規定しておりますが，これと手形法19条1項とは同趣旨の規定と理解してよろしいでしょうか。

M　担保権の目的である債権の取立権を有するということ自体については両者とも同趣旨といってよいと思いますが，その取立権の内容は異なります。というのは，民法367条2項および3項によれば，ⓐ担保の目的である債権の額が被担保債権の額より大きい場合には，被担保債権の額に対する部分にかぎり取立権を有するにすぎず，またⓑ担保の目的である債権の弁済期が被担保債権の弁済期より先に到来した場合には，担保権者は担保の目的である債権の債務者――第三債務者――に対して弁済金額を供託させて，その供託金に対して担保権を取得するにすぎませんが，手形の質入裏書の場合には，このような制約がなく，Cはⓐの場合には手形金全額を取り立てることができ，ⓑの場合には手形の満期日に手形金を取り立てることができると解されています。

N　ⓐの場合もⓑの場合も，手形金を取り立てた後でどう処理することになりますか。

M　ⓐの場合は，被担保債権を超える分については，かくれた取立委任裏書の性質を有し，したがってその分はBに返還することになります。したがってまた，その分については人的抗弁切断の利益を受けないと解されます。ⓑの場合については，Cがその取立金を満期まで供託する必要があるという見解（鈴木275頁(17)）もありますが，手形法48条2項を類推適用して，被担保債権額が弁済期日までの利息の分だけ減額したものとしてその減額した金額を被担保債権として取立金を直ちに弁済に充当できると解する見解もあります（前田243頁）。

★*117*　12　手形上の権利行使

T　手形上の権利の行使の問題を取り上げましょう。

N　本書の冒頭で，有価証券一般について（⇨★*1*以下），有価証券では権利が証券に結合しているから，権利の行使には証券が必要だということを論じましたが，手形も有価証券ですから，そこで論じたことがそのままあてはまるのでしょうね。

T　その通りです。ここではそのことを手形についてさらに具体的に論じようということです。M君，説明して下さい。

M　それについては2つのことが問題になると思います。ひとつは手形の呈示証券性ということであり，他のひとつは手形の受戻証券性ということです。手形の呈示証券性は手形上の権利を行使する場合には例外なしに認められますが，手形の受戻証券性は手形金全額の支払がなされた場合に認められます。

T　その通りですね。分けて論じましょう。

★*118*　(1)　呈示証券性

①　意　義

M　手形所持人は手形金の支払を請求するには手形を呈示しなければならず，このことを手形の呈示証券性といっております。

N　手形を呈示しなければならないということは，具体的にはどういう意味を持ちますか。

M　手形を呈示しないで手形金の請求をしても，その効果が生じないということです。その結果，遡求義務者に対する関係では，支払呈示期間内に手形を呈示しなければ遡求権を失ってしまうことになりますし（手53条1項），約束手形の振出人に対する関係では，手形を呈示しないで手形金を請求しても振出人を遅滞に付することができないという結果になります（商517条）。

N　手形の場合——有価証券一般についても同様だと思いますが——には，手形の交付によって権利が譲渡されますから，手形債務者にとっては手形が呈示されないかぎり権利者がだれかを知ることができず，したがって手形が呈示されないかぎり遅滞に陥ることがないということですね。

T　その通りです。前に，手形債務は取立債務で原因債務は原則として持参債務だということを論じましたが（⇨★ ***49***），それが手形の呈示証券性と結びつくわけです。

★ *119*　　㊁　呈示期間・呈示場所

N　さっきMさんが支払呈示期間という言葉を使われましたが，それについて説明して下さい。

M　支払呈示期間というのは，確定日払手形——満期日として「昭和何年何月何日」というように一定の日が記載されている手形で，実際に利用されている約束手形はほとんど全部がこれです——について説明しますと，その呈示期間は「支払をなすべき日」またはそれに次ぐ2取引日とされています（手38条1項)。ここで「支払をなすべき日」というのは，満期日が法定の休日でないときは満期日のことですが，満期日が法定の休日にあたるときはそれに次ぐ第1の取引日がそれになります（手72条1項)。

N　いずれにしても，呈示期間として3日間は認められているわけですね。その間に呈示しないと，遡求権は失ってしまうということですが，約束手形の振出人のような第1次的義務者に対する権利はどうなりますか。

M　それは存続し，ただ呈示するまでは振出人を遅滞に付することができないということです。

N　わかりました。呈示の場所はどうなりますか。

M　支払場所の記載（⇨★ ***53***）がある場合には，呈示期間内はその支払場所で呈示すべきですが，支払場所の記載がない場合およびその記載があっても呈示期間を経過した場合には支払場所の記載が効力を失いますから（最大判昭42・11・8民集21巻9号2300頁），一般原則に戻って，振出人の営業所または住所に呈示すべきことになります（商516条2項)。

N　呈示期間経過後は支払場所の記載が効力を失うというのはなぜですか。

M　振出人としては，呈示期間内は支払資金を支払場所たる銀行に用意しておきますが，その期間内に呈示されなかった場合には，その後いつ呈示されるかわからないので，その間ずっと支払場所たる銀行に支払資金を用意しておかせるのは酷な結果になるから，その後はその記載は効力を失うと解されているのです。

★*120*　(2)　受戻証券性

T　それでは受戻証券性について検討しましょう。

M　それについては，手形金の全額の支払の場合と一部の支払の場合とで区別しなければなりません。

㋑　全額支払の場合

M　振出人が全額を支払った場合には，手形所持人に対して手形に受取を証する記載をしてこれを交付すべきことを請求することができ（手39条1項・77条1項3号），文字通り，受戻証券ということがあてはまります。

N　全額支払の場合には，所持人は手形を保有する必要がないわけですから，手形の交付をさせるのは当然だと思いますが……。

M　その通りで，理論的にはそれも権利が手形という証券に結合しているということから生ずる結果ですが，具体的にみると，一方で，手形所持人にとっては全額の支払を受けた以上もはや手形を保持する必要がなく，他方で，振出人にとっては，手形の交付を受けないで支払をすると，さらに手形が呈示されて手形金の二重払をさせられる危険があるので，その危険を防止するために手形の交付を受けて支払をすること，すなわち，手形を受け戻すことが必要になり，手形の受戻証券性が認められることになるわけです。

N　所持人にとって手形を保持しておく必要がないということはよくわかりましたが，振出人にとって二重払の危険というのはどういうことですか。

M　前に，期限後裏書について取り上げましたが（⇨★*109*），それは呈示期間経過後の裏書のことをいいます。したがって，たとえば，手形所持人Bが満期日に振出人Aから手形を呈示して手形金の全額の支払を受けた後，手形をAに交付しないで呈示期間内にCに手形を裏書譲渡したとすると，Cは善意取得（手形権利移転行為有因論によった場合）または人的抗弁切断（有因論によらない場合）

によって保護されますから，AとしてはCから支払を求められたら，それを拒むことができず，二重払させられることになるわけです。

T　そうですね。いま，M君があげた例の場合には法律的にもAが二重払させられるわけですが，期限後裏書の場合でもそのことの挙証責任はAが負わされることになりますから（手20条2項参照），手形を受け戻さないと，Aは事実上不利益を受けることになるわけです。

N　よくわかりました。

★ *121*　㊁　一部支払の場合

M　振出人は，手形金額の一部しか支払わない場合には，手形の交付を請求できず，ただその支払があった旨の手形上の記載および受取証書の交付を請求することができるにすぎません（手39条3項・77条1項3号）。

N　手形所持人としては，振出人の一部支払の場合には，残額について遡求義務者に遡求するために手形を保持しておく必要がありますから，振出人としても手形の交付を請求することができないわけですね。

T　その通りです。その代わりに手形に一部支払の旨――支払がなされた金額を含めて――の記載を請求できることにしたわけです。

N　全額支払の場合における手形の交付と一部支払の場合におけるその旨の手形上の記載とが同じ意味を持つことになるわけですね。手形上に一部支払の旨の記載がなされている場合には，その後の手形取得者も手形の記載からその旨がわかりますから，振出人はその者に対しても一部支払がなされた旨の主張をすることができることになり，結局，一部支払の旨を物的抗弁（⇨★ ***83*** 以下）として主張できるということになりますね。

T　その通りです。

N　そこで疑問が生じたのですが，手形自体は支払を受けた者の手元にあるわけですから，その者が一部支払の記載をして支払を受けながら，その後その記載を抹消して呈示期間内に第三者に裏書譲渡したら，譲受人は一部支払がなされたことを知ることができませんから，保護されることになりませんか。

T　そうなりますか。手形金の一部支払を受けた者が一部支払の旨の記載を勝手に抹消するということはどういう問題になりますか。

M　変造の問題になります。

N　なるほど。そうすると，振出人は一部支払を受けた者が一部支払の記載を抹消する前に署名していますから，原文言に従って，一部支払の記載がなされたものとして責任を負うことになり，上記の譲渡人が変造後の文言で責任を負うことになりますね（手69条。⇨★ ***63***）。

T　その通りです。

N　もうひとつ質問ですが，手形法39条2項によれば，所持人は一部支払を拒むことができないとされていますが，なんでこんな規定が設けられているのですか。

M　それは遡求義務者の利益を考慮したものだと説明されています。

T　N君の疑問はもっともで，手形所持人としては，振出人が一部の支払しかしない場合には，それを拒んで遡求義務者から全額の支払を受けた方が便利だという場合もないではありません。しかし，遡求義務者の立場からみれば，振出人が一部支払をすれば，遡求義務者はその分については手形債務を免れて，残額について遡求義務を負うにすぎませんから，有利になるわけです。そこで一部支払を拒むことができないものとしたわけで，この点では，手形所持人の便宜よりも遡求義務者の利益を図ったということになるわけです。立法論としては，一部支払は拒むことができるとすることも，十分に考えられます。

13　手形の喪失——公示催告手続——

★ ***122***　(1)　問 題 点

N　手形上の権利行使に手形が必要だということはわかりましたが，手形所持人が手形をなくしてしまった場合には，手形上の権利を行使できなくなるのでしょうか。

M　そうではありません。公示催告手続に基づいて除権判決を得れば，手形なしでも権利を行使することができます。

N　そのことと手形上の権利行使には手形が必要だということとの関係を，どのように説明するのでしょうか。有価証券の基本理論——有価証券においては，権利が証券に結合しているから，権利の行使に証券が必要だという理論（⇨★ ***3***）——とも関係すると思いますが……。

T　それはもっともな質問です。そこで，手形を喪失した場合に，権利がだれに帰属するかを考えてみましょう。

N　たとえば，A振出の手形を受け取った手形所持人Bが，その手形を落としたり，盗まれたりして，Cがその手形を拾ったり，盗んだとして，それを占有しているという場合を考えますと，Bが権利者でCは無権利者ですが，Cがそれを悪意・重過失のないDに譲渡すれば，Dが権利者になり，Bはその反射として無権利者になります（⇨★ ***92***）。

T　そうですね。そうだとすると，Dが善意取得すれば，Dが権利を行使すべきですから，Bに権利を行使させるわけにはいきませんが，無権利者Cが手形を占有している間は，Bが権利者ですから，Bに権利を行使させてよいということになりますか……。

N　その点に疑問があるのですが……。第1は，理論的な点で，先ほどの繰り返しになりますが，Bはたしかにその段階では権利者ですが，手形を所持しておりませんから，それに権利を行使させることは，先ほど申し上げた有価証券の基本理論との関係で説明がつかないということです。第2は，事実上の問題ですが，手形を呈示されないでBから手形金の請求を受ける債務者Aにとって，その手形を盗取者が占有しているか，それが第三者によって善意取得されたかはわからないのではないでしょうか。

M　N君の疑問はもっともですが，しかし，だれかに権利を行使させなければ，Aが得をしてしまうことになります。そして，だれに権利を行使させるかというと，手形の盗取者または拾得者のCではなく，手形上の権利者Bだということになるのではありませんか。

T　2人のいうことはそれぞれもっともです。そこで，どういう手続でBに権利を行使させるかが問題です。その手続をとれば，N君がさっきあげた2つの疑問が解消するという，そういう手続でなければならないわけで，それが公示催告手続になるわけです。そこで，M君，その手続の概略を説明して下さい。

★ ***123***　(2)　公示催告手続の概略

㋑　申　立

M　公示催告手続というのは，有価証券（民施57条参照）の喪失者（民訴777条1項・778条1項）が裁判所に申し立てることによって開始されるもので，喪失者は，申立にあたって，①証券の同一性を認識できるような事項を示し，かつ

②自分が証券の所持人であったがそれを盗難，紛失または喪失したという事実について一応の証拠(ちゃんとした証拠である必要はありません)をあげること——これを疎明といっております——が必要です(民訴780条)。具体的には警察の発行する「盗難届受理証」あるいは「遺失届受理証」等でよいとされています。

N 「一応の証拠」とおっしゃいましたが，自分が手形上の権利者であることを証明する必要はないのですか。

M そこまでの必要はないと考えられています。

N そうすると，前掲のBが実際には他に裏書譲渡してしまったのに，Cに盗まれた，あるいは落としたと称して，届を出して，その受理証を発行してもらえば，公示催告手続の申立ができることになりますか。

T 結果的にはその通りになります。それはたしかに不都合ですが，逆に自分が権利者だという証明まで要求することになると，その手形について善意取得者が生じていないことまで証明しなければならないことになります。しかし，手形喪失者にとって，これを証明することは，N君自身がさっき疑問として提起したことですが，事実上不可能であり，そこまで要求したのでは，結局，有価証券喪失者は救済されないことになってしまいます。そこで，喪失者を救済する制度を設ける以上は，申立に際しては，疎明をすればよいことにしているわけです。

N そのように割り切るしかないわけですね。わかりました。

★ *124*　㋺ 公示催告の内容

M そこで続けますと，証券喪失者からの申立により公示催告がなされるわけですが，それは，公告の方法で——官報に掲載してなされるのが普通です(民訴782条1項)——，その有価証券について権利を有する者たとえばその手形を善意取得したと主張する者に対して，一定の期日——これを公示催告期日といって，公告した日との間に少なくとも6か月の期間があることが必要です——までに権利を届け出るように催告し，かつそれまでに権利を届け出なければ証券の無効宣言をする旨の警告をするというものです(民訴781条・783条)。

★ *125*　㋩ 権利の届出がなされた場合

N なるほど。先ほど，公示催告の申立にあたって，たんに疎明させるだけで不都合がないかを問題にしましたが，その疎明だけで証券を無効にしてしまうのではなくて，証券の取得者に権利を届け出る機会を保障しているわけですね。そうすると，その公示催告に応じて権利を届け出た場合には，公示催告手続はどうなりますか。

M　その場合は公示催告手続は打ち切られて，その申立をした者と権利の届出をした者との間で，どちらが権利者かが争われることになります。

★ *126*　　㈢　**権利の届出がない場合**——除権判決——

M　公示催告期日までに——公告からこの期日までの期間を公示催告期間といいます——権利を届け出る者がいない場合には，除権判決がなされて，それにより証券が無効とされます。

N　その期間に権利の届出をした者がいないときは，その手形について善意取得した者がいないとして取り扱うことになるわけですね。そうすると，喪失手形について善意取得した者でも，公示催告を見落として，権利を届け出ることができなかった者は，権利を失ってしまうのですか。

T　その点は除権判決の効力の問題で，意見が分かれているところです。

★ *127*　　(3)　**除権判決の効力**——消極的効力と積極的効力——

T　M君，除権判決の効力について説明して下さい。

M　はい。それは，理論的には，文字通り，証券から権利を除く——証券と権利との結合を解く——効力を持つということができますが，具体的には，次の2つになります。第1は，証券を無効とするという効力（民訴784条1項）で，これを除権判決の消極的効力といっています。第2は，公示催告の申立をして除権判決を得た者は証券なしで権利を行使することができるという効力（民訴785条）で，これを積極的効力といっております。

N　除権判決の効力として手形と権利との結合が解かれるから，喪失者は手形なしで権利を行使することができるわけですね。先ほどの第1の疑問は解消しました。そうすると，喪失手形の善意取得者にとっては，権利の届出をしなかったために除権判決がなされた場合には，自分の所持している手形が無効になり，かつ喪失者が権利を行使できるということになると，権利を失ってしまうということになりませんか。

T　そういう説もあります。公示催告に応じて権利を届け出なかった以上，権利を失ってもやむをえないではないか，そのように解さないと，喪失者がせっかく公示催告手続をとっても無意味になってしまうではないかというのがその説の根拠です（鈴木316頁(17)）。しかし，それに反対して，除権判決がなされても，善意取得したという地位は失われず，ただその所持する証券の効力がなくなるだけだという説もあります（前田257頁）。善意取得者が，官報を見て権利を届け出ることは無理だということを根拠にします。

N　証券が無効になりながら，善意取得者の地位が失われないというのはどういうことですか。

T　その考えによると，その場合の善意取得者の地位は，ちょうど，手形上の権利者でありながら手形の占有を失った者に相当し，逆に除権判決を得た者は無権利者——善意取得されたことによって権利を失っている——でありながら手形を占有している者に相当するといえるわけです。公告の方法が不十分であることは否定できませんので，通説・判例は後者の考え方をとっております。

N　なるほど。除権判決は，その申立人に手形を所持しているのと同じ地位を与えるだけで，権利者がだれかに影響を与えるものではないということですか。そして，Bは権利者としての資格が認められ，Aとしてはこの者に支払えば，かりにDが善意取得していたとしても，悪意・重過失がないかぎり免責されるということですね。第2の疑問も解消したような感じがします。

T　その通りです。

14　振出人の免責

★*128*　(1)　満期における支払の場合

㋑　手形法40条3項

T　満期になって手形所持人から手形金の請求がなされると，振出人としては，それに応じて支払をしなければならないのですが，手形を呈示して支払を請求する者が本当に権利者かどうかわからないことも多いわけです。この場合はどうしたらよいですか。

N　手形金の請求をする者が裏書の連続する手形の所持人であれば権利者と推定されますから（⇨★*74*以下），振出人としてはその者が無権利者であることを立証できないかぎり，手形金の支払をしないわけにはいかないと思います。

T　その通りですね。ところがその裏書の連続のある手形所持人がたとえばその手形の盗取者であって，被盗取者の裏書を偽造した者であったという場合はどうなりますか。

M　その場合のために手形法40条3項が設けられており，それによれば，振出人は，裏書の連続の有無さえ調査すれば，その署名を調査しないでも，悪意または重過失がないかぎり免責されます。なお，ここで満期において支払をするとは，満期日にかぎらず，その後に支払をする場合も含まれます（なお⇨★*134*）。

N　署名を調査しないでもよいというのはどういうことですか。

M　署名が偽造されていないかどうかを調べる必要がないということです。先ほど先生があげられた例では，盗取者が被盗取者の裏書を偽造して裏書の連続を作出した場合にも，振出人としては悪意または重過失なくその盗取者に支払えば免責されるということになります。

★*129*　㋺「悪意または重過失」の意味

ⓐ　請求者が無権利者の場合

N　もうひとつ疑問なのは，さっき，裏書の連続ある手形所持人から手形金の請求をされたら，振出人はその者が無権利者であることを立証できないかぎり，それに応じて支払わないわけにはいかないといいましたが，そのこととの関係です。悪意または重過失があれば免責されないとすると，振出人が盗取者であることを知っているが，その旨を立証する資料は持っていないという場合はどうしたらよいでしょうか。

T　それはいいところに気付きましたね。「悪意または重過失」というのを通常の意味に理解して，たとえば盗取者であることを知っており，または知らないことに重過失があることというように解釈すると，N君が疑問を提起したように，振出人としては，その場合には，無権利者であることを立証できない以上，支払を拒むことができず，しかも支払えば免責されないということで，支払うべきか，支払わざるべきか，ハムレット的悩みに陥ることになりますね。そこで，この場合の「悪意または重過失」の意味については，特別な解釈がなされているのです。M君，その点を説明して下さい。

M　はい。この場合の「悪意または重過失」というのは，手形金を請求している者が無権利者であることを容易に立証して支払を拒むことができるにもかかわらず，故意に支払を拒まないこと，またはそれを拒まなかったことに重過失があることと解されています。

N　なるほど，それで疑問は解消しました。

★*130*　ⓑ　ⓐ以外の場合

T　待って下さい。まだ問題は残っていますよ。いまN君が疑問を提起したのは，手形金を請求した者が無権利者——盗取者，拾得者など——の場合でしたね。この場合には，M君の説明したことがたしかにあてはまります。しかし，たとえば最後の被裏書人と手形を呈示して手形金を請求する者とが別人であるときはどうですか。

N　振出人がそのことを知って支払った場合に免責されるかということですね。その場合には，前にも議論しましたが（⇨★*80*），手形面上，裏書が連続していても，手形の占有者が最後の被裏書人であるという推定は働きませんから，振出人は同一人でないことを知っていたら免責されないことになりませんか。

M　最後の被裏書人と手形の占有者との同一性については，手形の占有者が立証しなければならず，振出人としては，同一性がないことを知っていたら支払うべきではなく，また怪しいと思えばその点についての立証を求めることができるから，この場合の「悪意または重過失」というのは，通常の意味のそれだということになりますね。

T　そうです。結局，裏書の連続の効力の及ぶ場合には，「悪意または重過失」は前述のように特殊な意味に解釈しなければならないのに対して，その効力が及ばない場合には通常の意味に理解することになると考えてよいわけです。ほかに，その効力が及ばないのはどのような場合ですか。

M　最後の被裏書人の代理人だと主張して手形金の支払を請求する者の代理権の有無，最後の被裏書人の支払受領権限の有無——破産すると支払受領権限がなくなります——などが問題になる場合です。

★*131*　(2)　満期前における支払の場合

N　手形法40条2項は，満期前に支払をなす支払人は自己の危険においてこれをなすものとすると規定していますが，これはどういう意味でしょうか。

M　その規定を文字通りに解釈すると，満期前に支払をした者は，支払を受けた者が無権利者だったり支払受領権限がなかったりしたときは，免責されずに，権利者や支払受領権限を有する者に対して再度支払わなければならないことになります。

N　振出人は，満期前に支払うときは，支払う必要がないのに支払っているのだから，その危険は振出人が負担しなければならないという趣旨でしょうか。

M　その通りですが，この規定については次のような問題が指摘されています。というのは，振出人は，たとえば手形の盗取者から満期前にその手形の裏書譲渡――このように手形債務者が裏書を受けることを戻（もどり）裏書といいます――を受けた場合には，悪意または重過失がないかぎり，裏書人が無権利者であってもその手形を善意取得することができるはずです。そうだとすると，満期前に支払をした場合にも，悪意または重過失がないかぎり免責されると解さなければ，バランスを失するのではないかということです（鈴木286頁以下）。

N　しかし，善意取得の場合は無権利者から裏書を受けるわけですね。それに対して，支払の場合は裏書を受けるわけではないので，その点で差異がありませんか。

T　支払をする場合には，支払を受ける者に対して手形に受取を証する記載をして手形を交付するように請求することができるし（手39条1項），所持人が記載しない場合には自分でその記載をする権限が与えられていると考えられますから，それが裏書と同じ意味を持つといってよいでしょう。結局，M君が説明したように，善意取得制度とのバランスをとる必要があるわけですが，そのとり方としては，振出人には善意取得を認めず，かつ満期前の支払による免責も認めないと考えるか，いずれも認めると考えるかというように見解が対立しているわけですが，振出人について善意取得を認めないという根拠はありませんから，免責も認めるのが妥当だと考えます。

★*132*　15　遡　求

T　これまで振出人が約束手形の支払をした場合について論じてきましたが，これから振出人が支払を拒絶した場合の効果について取り上げましょう。もちろん，振出人は依然として手形債務を負っているわけですが，その他にどのような効果が生じますか。

M　それは2つの面から考えることができます。ひとつは，交換呈示された手形についてですが，手形交換所規則によるもので，前にも触れたように（⇨★ *46*），振出人が銀行取引停止処分を受けるという効果が生じます。他のひとつは，手形法によるもので，裏書人またはその保証人（保証人について⇨★ *139* 以下）の遡求義務が発生します。逆にいうと，手形所持人は裏書人またはその保証人に対して遡求権――償還請求権ともいいます――を取得します。

T　そうですね。裏書人またはその保証人の責任――遡求義務――は，約束手形の振出人の責任が第1次的かつ無条件のものであるのに対して，第2次的な条件つきのものであることは，すでに前に論じました(⇨★ *27*, *72*)。ここでは遡求権について，もっと詳しく取り上げましょう。

★ *133*　(1)　遡求権行使の要件

T　はじめに遡求権行使の要件について説明して下さい。

M　それは実質的要件と形式的要件に分けられます。

④　実質的要件

M　実質的要件はさらに満期における遡求の要件と満期前遡求の要件に分けられます。

ⓐ　満期における遡求

M　まず，遡求権は呈示期間（⇨★ *119*）内に振出人（支払場所の記載がある場合には支払場所⇨★ *53*, *119*）に呈示したが，振出人がその支払を拒絶した場合に発生します。

N　それはどの条文によりますか。

M　手形法77条1項4号で準用されている同法43条によります。

N　それはわかりますが，手形法43条は為替手形に関する規定で，それによれば，前段で，満期に支払がないときは所持人はその遡求権を行うことができると規定され，後段で，「左の場合においては満期前といえどもまた同じ」と規定して，1号から3号まで，3つの場合があげられていますが，これらが約束手形にどのように準用されるかがはっきりしないので，質問したのです。

T　たしかにその関係がわかりにくいですね。まず，いえることは，手形法77条1項は，「左の事項に関する為替手形についての規定は約束手形の性質に反せざるかぎりこれを約束手形に準用す」ると規定しており，その4号では，

「支払拒絶による遡求」とされていますから，これらの規定を文字通りに解釈すると，43条前段しか準用されないということです。

N　同条後段は，支払拒絶以外の事由による遡求権の発生についての規定だから，77条で準用される範囲外だということですね。

T　その通りです。ただ，後でまた説明されると思いますが，それが約束手形にも類推適用されるという問題は残ります。

N　その点はわかりましたが，もうひとつはっきりしないのは，43条前段は「満期において支払なきときは」と規定されておりますが，先ほどの説明では，支払呈示期間内の呈示に対して振出人が支払を拒絶した場合に遡求権が発生するということでした。この「満期」という表現と，支払呈示期間内の呈示ということとの関係です。

T　なるほど。43条前段にいう「満期」とは「満期日」のことではないか，そうだとすると，「満期日」に呈示したにもかかわらず振出人が支払を拒絶した場合に遡求権が発生するのであって，その後は呈示期間内に呈示したとしても，遡求権は発生しないのではないかという質問ですね。

N　はい，そうです。

T　実は手形法で「満期」という表現が使われている場合に，それは必ずしも「満期日」それ自体を意味するわけではなく，満期日以降の意味に用いられていることもあり，また支払呈示期間の意味に用いられていることもあります。たとえば，手形法40条3項は，「満期において支払をなす者」とありますが，この場合は，前にM君が触れたように，満期日以降に支払をする者のことを意味します（⇨★ ***128***。満期前遡求の場合に，満期前に遡求義務を履行する者も含まれます。⇨★ ***134***）。43条前段の「満期において支払なきときは」というのは支払呈示期間内に支払呈示をしたのに支払がなかったことを意味するのですが，このことは，手形法53条1項から導かれます。

N　53条1項では，手形の呈示期間（1号および3号）あるいは支払拒絶証書の作成期間（2号）を経過したときは裏書人等に対する権利を失うと規定されていますが，それは逆に呈示期間が経過するまでは遡求権は失われないということを意味するということですか。

T　その通りです。支払拒絶証書作成期間というのは，後で触れられると思

いますが (⇨★ *135*), 支払呈示期間と同じです (手44条3項前段)。

N　わかりました。

★ *134*　ⓑ 満期前における遡求

M　以上が満期における遡求ですが，先ほどすでに触れられたように，為替手形については，手形法43条後段1号から3号までにおいて，満期前遡求に関して規定されています。そのうち，1号および3号は引受という制度を前提とするものですから約束手形については問題になるはずがありませんが，その2号は約束手形にも類推適用されるべきではないかが問題とされており，それを認めると，約束手形についても満期前でも遡求権を行使できる場合が生ずることになります。

N　43条2号は支払人について一定の事由が生じた場合の規定ですが，約束手形には支払人は存在しませんので，どのように類推適用されることになりますか。

M　それは振出人について2号に列挙されているような事由が生じた場合に類推適用されることになります。

N　本来は，先ほど説明があったように，満期になって振出人に呈示して，振出人が支払を拒絶した場合に遡求権が発生するわけですが，満期前でも，振出人に，2号に列挙されたような事由が生じて，満期になっても振出人から支払を受けられる可能性があやしくなった場合には，遡求権を行使させるということですか。

T　その通りです。

N　わかりました。しかし，満期前に振出人から支払を受けられる可能性があやしくなる場合というのは，2号に列挙された事由が生じたときに限られませんね。たとえば，振出人につき，会社更生手続が開始されたような場合はどうでしょうか。

T　もっともです。N君のいう通り，約束手形の振出人につき，和議・会社更生手続開始決定，会社整理・特別清算開始命令がなされた場合も，2号に列挙された事由が生じた場合に合わせて，満期前の遡求権行使を認めるべきだと解されています (鈴木342頁(5))。

N　それなら納得します。もうひとつ質問ですが，これらの場合には，遡求義務者は遡求義務の履行を強いられるわけですが，その際の免責に関しては，手形法40条の2項と3項のどちらの問題になるのでしょうか。

T　それはいい質問です。満期前でも遡求義務の履行として支払をするときは，3項が適用され，無権利者に対する支払による免責の場合の「悪意または重過失」は前に論じた特殊な意味に理解すべきです。

★ *135*　　㋺　形式的要件

ⓐ　拒絶証書の作成

M　次に遡求権行使の形式的要件として，拒絶証書を作成することがあげられます（手44条1項）。

N　それはどういうものですか。

M　それは公証人または執行官によって作成される公正証書で，手形の支払がなされなかったという記載がなされたものです。詳細は「拒絶証書令」に定められています。それは支払拒絶証書作成期間——支払呈示期間と同じです（手44条3項）——内に作成しなければなりません。

N　手形の支払が拒絶されたことを公正証書で証明することが要求されるということになるわけですね。どうしてそういうことが要求されるのですか。

T　支払が拒絶されたかどうかは，裏書人等が遡求義務を負うかどうかの決め手になる重要な事実であり，かつその事実は遡求義務者自身のもとで生ずるのではなく，振出人のもとで生ずることなので，その事実を明確にする必要があるからだと説明されております。

N　そうすると，それ以外の方法で支払拒絶の事実を証明しても，遡求権は行使できないわけですね。

T　その通りです。支払拒絶の事実の証明方法が支払拒絶証書によるというように法定されているということになります。逆に遡求権を行使する側からいえば，拒絶証書を作成することによって，呈示期間内に呈示したが支払が拒絶されたという事実——遡求権行使の実質的要件たる事実——を容易に証明できるという意味もあるわけです。

★ *136*　　ⓑ　拒絶証書の作成免除

M　拒絶証書の作成は，手形上に「無費用償還」,「拒絶証書不要」等の記載をすることにより，免除することができます（手46条1項）。実際に利用されている約束手形の場合には，各裏書欄に「拒絶証書不要」という文字が印刷されていて（⇨77頁「裏書欄の記載例」），拒絶証書の作成が免除されています。

N　というと，実際には遡求権行使のための形式的要件は問題にならないということですか。どうしてそういうことになっているのですか。

T　拒絶証書の作成は公証人または執行官に依頼するわけですから，費用がかかります。この費用は遡求義務者が負担することになっています（手48条1項3号）。そこで，遡求義務者は，その費用を負担したくないときは，手形所持人が拒絶証書を作成しなくても遡求権行使に応ずるということになるわけです。

N　その費用はどのくらいかかるものですか。

T　基本料金は5,000円とされています（公証人手数料規則20条2項）。

N「無費用償還」という言葉は，それと関係があるのですか。

T　関係あります。償還請求に応ずるに際して拒絶証書作成の費用を負担しないということで，結局，拒絶証書の作成を免除するということになります。

N　先ほど，遡求権を行使する側からいえば，拒絶証書を作成することによって遡求権行使の実質的要件たる事実を容易に証明できるという説明がありましたが，拒絶証書の作成が免除された場合でも，手形所持人としてはその事実は証明しなくてはならないでしょうから，その場合には自分の費用で拒絶証書を作成しなくてはならないことになりませんか。

M　その点は手形法46条2項でちゃんと手当されています。N君のいうように，拒絶証書の作成が免除されても，呈示期間内に手形を呈示しなければなりませんが，その期間内に呈示されなかったことは遡求義務者の側で証明しなければならないとされています。

N　拒絶証書の作成が免除された場合には，呈示期間内に呈示されたということが推定されるということですね。

T　その通りです。

★ *137*　(2)　遡求の方法，再遡求，遡求金額

N　たとえば，Aの振り出した手形が，BおよびCによって裏書され，Dが所持人であるというように，遡求義務者が複数（BおよびC）の場合には，手形所持人はだれに遡求権を行使することになりますか。順序が決まっているものですか。

M　所持人はだれに対して請求してもかまいません（手47条2項・4項）。またCがDに対して遡求義務を履行した場合には，CはAに対してだけでなく，Bに対しても，手形上の権利を行使することができます。このように遡求義務を履行した者が自分の前者である遡求義務者に対して遡求権を行使することを「再遡求」といいます。

N　遡求義務を履行した者が第1次的義務者である振出人に手形上の権利を行使することは再遡求とはいいませんか。

T　正確には，再遡求も遡求権行使のひとつの場合ですから，振出人に対しては，手形上の権利を行使するというべきで，再遡求というべきではないでしょう。

N　遡求あるいは再遡求により請求できる金額はいくらですか。

M　それは，満期（満期日後も含まれます）における遡求の場合には，手形法48条1項および49条に規定されており，手形金額およびそれに対する満期以後の年6分の率による利息ならびに拒絶証書作成の費用，通知の費用およびその他の費用です。ここで，その他の費用とは，債務者を探して催告する費用等を指し，訴訟費用や弁護士費用は含まれないと解されています。満期前遡求の場合には，遡求権行使時から満期日までの期間に相当する利息――それは遡求の日の所持人の住所地における公定割引率（日銀の公定歩合）で計算されます――を手形金額から控除することになります（手48条2項）。

★ *138*　(3)　遡求義務者の権利――遡求の通知を受ける権利，償還権等――

N　いまMさんが通知の費用ということをいわれましたし，またさっき拒絶証書作成免除の説明のところで気が付いていたのですが，それに関する手形法46条2項では，「呈示および通知の義務を免除することなし」と規定されています。ここでいう通知というのはどういうものですか。

M　それは遡求の通知で，手形法45条に規定されております。それによると，所持人は振出人から支払を拒絶された場合には，呈示の日に次ぐ4取引日内に自分の裏書人に支払拒絶があったことを通知し，各裏書人は通知を受けた日に次ぐ2取引日内に自分の裏書人に通知をしていくというように，順次通知していくものです。

N　振出人には通知しなくてもよいのですか。

M　約束手形の場合には，為替手形の場合と異なり，振出人は，自分で支払を拒絶したのですし，遡求義務者ではありませんので，それに通知する必要はありません。

N　なんでそのような通知を要求するのですか。

M　遡求義務者は，この通知を受けることによって支払拒絶の事実を知って，遡求義務の履行のための資金の準備をし，かつ償還権の行使をする機会が与えられることになります。

N　資金の準備をするというのはわかりますが，償還権というのはなんですか。償還請求権――遡求権――とは違うのですか。

M　違います。それは，遡求義務者が，手形所持人による遡求権の行使を待つまでもなく，みずから進んで遡求義務を履行して手形の交付を請求することができる権利です。それにより，遡求義務者は満期後の利息が増大するのを阻止することができ，かつ振出人に対する権利の行使または再遡求権の行使による満足が得られなくなるのを防止する等のメリットがあります。

N　振出人に対する権利の行使または再遡求権の行使による満足が得られなくなるのを防止するということは，たとえば振出人の資産状態が悪化しているような場合には，遡求義務者としては，所持人からの遡求権の行使を待つまでもなく，すぐに償還権を行使して手形を受け戻した上で，振出人に手形金の請求をする必要があり，そのためには遡求の通知を受けて支払拒絶の事実を知らされる必要があるということですね。そうすると，遡求の通知を怠った場合の効果はどうなりますか。

M　それによる損害を賠償する責任を負います（手45条6項）。いまのN君の例では，遡求義務者が遡求の通知を受けていれば償還権を行使してさらに振出人等から手形金全額の支払を受けられたのに，その通知がなされなかったために振出人等に対する権利行使がおくれ，そのためたとえば手形金の半額につき支払を受けられなかったというときは，その分につき，通知を怠った者に損害賠償を請求できることになります。

N　償還権の意味，内容についてはよくわかりましたが，それはどの条文で規定されているのですか。

T　それは手形法50条1項の，「遡求を……受くべき債務者は支払と引換に……手形の交付を請求することを得」という文句です。

N　なるほど。その条文は,「遡求を受けたる債務者」と「遡求を受くべき債務者」の両方についての規定で,後者が償還権に関するものということですね。わかりました。

16　手形保証

★139　(1)　意義・方式

T　手形保証とはどういうものか説明して下さい。

M　それは,ある者が振出人や裏書人のような手形債務者——被保証人——のために手形上で保証をすることです。

N　民法でも446条以下で保証に関して規定されておりますが,それと手形保証とはどういう関係にありますか。

T　手形保証も被保証人の債務の保証をする点では民法上の保証と差異がありませんが,手形上になされる保証を特に手形保証といい,その効力についても後で論ずるように民法上の保証と差異があります。

N　手形上になされる保証ということですが,手形上にどのようにしてなされるのですか。

M　手形保証の方式については,手形法31条に規定されております。手形または補箋に,「保証」あるいは「保証人」など保証の趣旨——保証文句——を記載して保証人が署名をするという方式が正式ですが(2項),手形の表面に保証文句を記載しないでたんに署名がなされた場合には,その署名は振出人のそれを除いては保証とみなされます(3項)。これを略式保証と呼んでおります。

N　被保証人の記載も必要ではないですか。

M　その通りですが,被保証人を記載しない場合には,振出人のための保証とみなされます(手31条4項)。

N　手形の裏面に署名がなされた場合もですか。

T　いや,手形の裏面に裏書人の署名にそえて保証人としての署名がなされていれば,裏書人のための保証と解すべきでしょう。

N　そうでしょうね。手形の表面に,被保証人を記載せず,かつ保証文句も記載しないで振出人欄の下に署名したときは,保証人としての署名なのか共同振出人としての署名なのか，どちらとみられますか。

T　手形上，主従の関係が明らかなように署名されていれば保証人のそれと解されますが，それが明らかでないときは，手形所持人がいずれかを選択して権利を行使できると解すべきでしょう（⇨★ ***33***）。

★ *140*　(2) 保証の効力

㋑ 付従性と独立性

N　先ほど，先生は手形保証は民法上の保証とはその効力の点でも差異があるとおっしゃいましたが，その点について説明していただけませんか。

T　それは保証の付従性に関してです。民法上の保証については付従性が認められています。手形保証についてはどうなっていますか。

M　手形法32条1項は，保証人は保証された者と同一の責任を負うと規定しており，手形保証の付従性を認めていると解されますが，他方で同条2項は，保証はその担保した債務が方式の瑕疵を除き他のいかなる事由によって無効のときでも有効とすると規定しており，手形保証の付従性を否定して独立性を認めています。

N　付従性と独立性というのは相対立する概念で，両立できないのではないでしょうか。

T　私もそう考えます。したがって，手形保証については，どういう点で付従性が認められるか，また独立性が認められるのはどういう場合か，というように，それぞれ付従性および独立性が認められる範囲を区分しなければならないことになります。

N　わかりました。そして独立性が認められる限度では，手形保証の効力は民法上の保証の効力と区別されることになりますね。

T　その通りです。

★ *141*　㋺ 被保証行為の効力が否定される場合――独立性――

T　それでは，はじめに独立性について取り上げましょう。これについて説明して下さい。

M　手形保証の独立性は，手形行為独立の原則（⇨★ ***89*** 以下）の手形保証におけるあらわれです。すなわち，手形保証は，その前提である被保証人の手形行為の効力が否定されても，その影響を受けずに有効に成立するというものです。

N　手形保証も手形行為のひとつですから，手形保証についても手形行為独立の原則が適用されるのは当然のことですね。そうすると，それは被保証行為の手形債務負担行為の面に瑕疵がある場合——被保証人に物的抗弁が成立する場合——の問題ですね。

M　その通りです。そこで，この点について手形保証と民法上の保証とを比較すると，民法上の保証では，主たる債務が無権代理により無効であるか無能力により取り消されたときは保証債務はその付従性により無効であると解されており（我妻451頁・458頁），この点では手形保証と明らかに差異があることになります。

N　なるほど。被保証債務が無効の場合または取り消された場合に，手形保証では独立性が認められ，民法上の保証では付従性が認められるということですね。

M　そういうことになります。

N　前に，手形行為独立の原則につき，従来は前提たる行為に方式の瑕疵がある場合には手形行為独立の原則が適用されないと解されていたが，そのような考え方を否定して，その場合にも手形行為独立の原則が適用され，ただ振出の方式に瑕疵がある場合にはすべての手形行為の方式が瑕疵を帯びることになるという考え方があるという説明がなされました（⇨★ ***90***）。私はこの後の考え方に魅力を感じているのですが，手形法32条2項は「担保したる債務が方式の瑕疵を除き……」と規定しており，この規定によれば，前提たる被保証行為の方式に瑕疵がある場合には手形保証独立の原則が適用されないことになり，このことは前提たる被保証行為が振出以外の行為であっても適用されるように読めますが，この点はどのように説明されますか。

T　その点についても，いまN君が振出の方式の瑕疵について説明した考え方があてはまります。保証行為の債務の内容は被保証行為の記載によって決せられるわけですから（一部引受をした引受人のために保証をした場合など。⇨★ ***178***），被保証行為の方式が保証行為の方式としての意味を有し，前者の方式の瑕疵は後者の方式の瑕疵になると考えます。

N　その場合には保証行為自体が方式の瑕疵により有効に成立しないと解す

ることになるわけですね。それでその考え方が一貫しますね。

★ *142*　㈧　被保証人と手形所持人との間の原因関係が無効等の場合――手形権利移転行為有因論との関係――

N　手形保証独立の原則によれば，手形所持人は被保証人には手形金を請求できないが，保証人にはそれを請求できるということですね。

T　いちがいにそういうことはできません。その点もすでに手形行為独立の原則のところで論じたことですが（⇨★ *89*），この原則はもっぱら手形債務負担の面の問題で，手形保証についてもその独立性により保証人が手形債務を負担するという結果は導かれますが，それに対応する権利をだれが行使できるかは手形権利移転の面の問題になります。

N　なるほど，うっかりしていました。

T　それでは，いまのN君の質問とも関連して，被保証人と手形所持人との間の原因関係が無効・不存在である場合とか取消権・解除権の行使により消滅した場合について論じましょう。この点については判例の変遷がありますので，それを説明して下さい。

M　はい。最高裁昭和30年9月22日判決（民集9巻10号1313頁）は，AがBを受取人として振り出し，甲がAのために手形保証をし，AB間の原因関係が無効な場合に，甲はBの手形金請求を拒むことができるかが問題とされた事案につき，「甲は，手形保証をすることによって独立に手形により債務を負担するものであるから，AがBに対して有する人的抗弁を援用することは許されない」と判示しています。

N　その判決は，この場合に手形保証の独立性を適用して，甲はBの手形金請求を拒みえないとしたわけですね。

M　そうです。ところが最高裁昭和45年3月31日判決（民集24巻3号182頁）は，振出人Aと受取人Bとの間の原因債務の不発生が確定した後に，振出人の保証人甲がBの手形金請求を拒むことができるかが問題とされた事案につき，手形振出の原因関係上の債務の不発生が確定したにもかかわらず，手形を返還せず手形が手裡に存するのを奇貨として手形保証人から手形金の支払を求めることは，信義誠実の原則に反して明らかに不当であり，権利の濫用に該当し，甲はBに支払を拒むことができるとして，最高裁昭和43年12月25日大法廷判決（民集22巻13号3548頁）を引用しております。

N　その昭和43年の判決は，前に手形権利移転行為有因論との関係で問題とされた判決ですね（⇨★ ***39***）。そうすると，昭和45年判決は，昭和30年判決と異なり，AB間の関係が無効・不存在等の場合にBがAの保証人甲に請求できるかという問題につき，手形保証の独立性を適用しなかったということになりますね。

T　さらに正確にいえば，昭和45年判決は，昭和43年大法廷判決を引用していることからも明らかなように，この問題を手形保証の独立性と付従性のいずれが適用されるかという問題として取り扱わず，手形が甲→A→Bと移転して，AB間の原因関係が無効・不存在等の場合に，Bが甲に対して手形金を請求できるかというのと同じ問題として取り扱っているということができます。

M　したがって，昭和43年判決の事案に関するのと同じように，ここで問題にしている場合に関しても，手形権利移転行為有因論（⇨★ ***40***）により，AB間の原因関係が不存在・無効であり，または消滅すればBは無権利者になり，無権利者に対してはなんぴとも，すなわち，Aだけでなく甲も支払を拒みうるという考え方も主張されています。

N　なるほど，そうすると，同じくBの甲に対する権利行使を拒むための構成として，大きく分けてこの場合に手形保証の付従性を適用するという方法と，昭和43年判決のような権利濫用論または手形権利移転行為有因論によるという方法とがあるということになりますね。民法上の保証の場合には，付従性によるのでしょうね。

T　たしかにBの甲に対する権利行使を拒むためには，付従性によることもできます。しかし，次の問題を考えて下さい。AB間の原因関係は有効に存続していて，BがAに対する権利をCに譲渡したが，BC間の権利譲渡の原因関係が無効・不存在であるか消滅した場合に，CがAの保証人甲に対して権利を行使できるかという問題です。

M　その問題は，手形保証でも民法上の保証でも考えられますね。しかも，被保証人Aの債務は有効に存続しておりますから，保証の付従性で解決することはできませんね。

N　そうですね。そうすると，やはりこの問題は，Bが甲に請求する場合も含めて，保証の付従性の問題としてではなく，無権利者に対してはなんぴとも権利行使を拒みうるという構成，手形についていえば手形権利移転行為有因論によって解決するのが一貫した考え方ということになりますね。

T　私もそう考えています（前田305頁以下）。

★ *143*　㊂ 手形保証独立の原則と手形権利移転行為有因論

N　もうひとつ，上記のような考え方と先ほどの手形保証独立の原則との関係ですが，たとえばAの手形債務負担行為がAの無能力により取り消された場合には，AB間の原因関係も取り消されるのが通常でしょうから，Bは無権利者になり，したがって甲の保証債務が手形保証独立の原則により有効に成立するといっても，意味がないのではないかと思うのですが……。

T　しかし，第1に，AB間で原因関係が発生した時はAが能力者で，その後，無能力者になってから原因債務支払のために手形を振り出したという場合は，Aは原因債務を取り消すことができず，Bは甲に対して保証債務の履行を求めることができますから，手形保証独立の原則により甲の保証債務が有効に成立していることが意味を有することになります。第2に，かりにAB間の原因関係が取り消され，Bが無権利者になったとしても，Cがその手形を悪意・重過失なくBから裏書譲渡を受けた場合には，Aに対しては請求できなくても甲に対して請求できるという点で意味を持つことになります。

★ *144*　㋭ 被保証人の手形債務が消滅した場合——付従性——

N　いままでの議論では手形保証の付従性が適用される場合が全然出てきませんでしたが，それが適用されるのはどのような場合でしょうか。

M　たとえば被保証人が手形と引換えに手形金を支払った場合，被保証人の手形債務が時効で消滅した場合などです。一部支払をして，その旨が手形上に記載された場合にはその支払をした金額について保証人の債務も消滅します。また被保証人が遡求義務者の場合には遡求権保全手続——呈示期間内の呈示など（⇨★ ***133*** 以下）——がなされずに遡求義務が消滅した場合にも，保証人の債務は消滅します。

N　そういう場合も含めて，付従性が適用される場合をどういうふうにまとめたらよいでしょうか。

T　いったん成立した被保証人の手形債務自体が消滅した場合には保証の付

従性により保証人の手形債務も消滅するということになります。

M　結局まとめますと，①被保証人の手形債務が成立しなかったときは手形保証の独立性が適用され，②いったん成立した手形債務自体が消滅した場合には手形保証の付従性が適用されるということですね。そして，③被保証人と手形所持人との間の原因関係が無効・不存在であり，または解除権・取消権の行使により消滅した場合には手形権利移転行為有因論が適用され，手形所持人は無権利者になるから，保証人も支払を拒むことができるということですね。被保証人が手形所持人に対して相殺権を主張した場合も，③に該当すると考えてよいですね。

T　もちろんです。

★*145*　㊀　被保証人の有する取消権・解除権・相殺権等の援用の可否

N　いまのMさんの総括を伺っていて気付いたことなのですが，まだ解決されない点が残っているような気がするのですが……。それは被保証人が手形所持人に対して原因関係上取消権または解除権を有しているがまだこれを行使していない場合——相殺権を有していてまだ行使していない場合も同じです——に，保証人がこれを援用して手形金の支払を拒むことができるかということです。

T　よく気が付きましたね。その場合を④として総括の中に含めなければなりませんね。そこでこの問題をどのように解決するかですが，民法上の保証ではその問題はどうなりますか。

M　民法上の保証では，相殺権の行使については，民法457条2項により，保証人が主たる債務者の有する債権で相殺をもって債権者に対抗できる旨が明文で規定されており，取消権や解除権の行使については明文の規定はありませんが，保証人はこれを行使して支払を拒むことができると解するのが一般です(我妻451頁・481頁以下)。

N　民法上の保証では，その場合には付従性が適用されるということですね。

T　そうです。そこで手形保証ではこの問題をどのように考えるべきかです。この問題は，結局，その場合につき，手形上の保証でも，民法上の保証と同じく，付従性を認めるか，それとも独立性の考え方をおし及ぼすかということに帰着します。

N　しかし，手形保証の独立性は，先ほど議論したように，被保証人の手形債務負担行為に瑕疵がある場合に適用されるのであって，被保証人が原因関係上取消権がある場合等の問題ではないのではありませんか。

T　たしかに直接に手形保証の独立性が適用される場合ではありませんが，この問題の解決に当たって，手形保証に独立性が認められていることを考慮に入れるべきか，そのことの影響を受けないかということです。

M　この問題は，たとえば甲がAを受取人として振り出した手形がAからBに裏書され，AがBに対して取消権，解除権または相殺権を有している場合に，甲がこのAの有する権利を援用してBの手形金請求を拒むことができるかというのと共通の問題でしょうか。といいますのは，この場合には，まさに狭義の人的抗弁として甲はこの権利を援用することができないと解しましたが（⇨★*87*，*88*）……。

T　そのような問題と共通の問題として取り扱うか――そのように取り扱うとすると，手形保証の独立性の考え方をこの問題におし及ぼしたことになります――，それとも民法上の保証と同じように考えるか，それがまさにこの問題の解決のポイントです。

N　結局，手形保証を民法上の保証に近いものとしてとらえるか，それとも独立性の考え方を強く打ち出すかという判断の問題ということになりますね。

T　その通りです。私は，この問題について，独立性の考え方をおし及ぼすべきではないかと考えております（前田307頁以下）。

M　しかし，たとえば原因関係として，甲B間で民法上の保証契約が締結され，それを原因関係として甲が手形保証をした場合には，甲B間では，甲は被保証人Aの有する上のような権利を行使できると考えてよいでしょうね。

T　そのような事実が認定されたときは，M君のいう通りです。

★*146*　(3)　保証債務の履行の効果

T　保証人が保証債務を履行した場合の効果について説明して下さい。

M　手形法32条3項によれば，保証人が手形の支払をしたときは被保証人およびその手形上の債務者に対して手形上の権利を取得します。

N　民法上の保証の場合には，保証人が弁済をすれば，民法500条により債権者に代位し，債権者の有する権利を行使することができます（民501条）が，この保証人の弁済による民法上の代位の制度と，手形法32条3項による権利取得の制度とはどういう関係にあるでしょうか。

T　基本的には同じ制度と考えてよいと思います。

M　前から疑問に思っていたことなのですが，手形保証は手形金額の一部についてすることができます（手30条1項）。この一部保証の場合に保証人がその保証債務の支払をすれば，保証人はその支払った分につき手形法32条3項により権利を取得します。しかし，一部支払ですから，保証人は，前に論じたように（⇨★ ***121***），手形上にその旨の記載を受けることができますが，手形の交付を受けることができません。そこで疑問なのは，この場合に保証人がどのようにして権利を行使するかということです。

T　もっともな疑問です。手形法についてはこの点について規定がありません。そこで一般には，保証人が全額の支払をして手形の交付を受けて権利を行使するか，振出人が手形所持人に残額の支払をして手形の交付を受けるのを待って振出人に対して権利を行使するしかないといわれています。

N　そのような方法によることはもちろんできるでしょうが，それ以外に，保証人が支払った金額につき直接に手形上の権利を行使する方法は考えられないものでしょうか。保証人が保証した額以上に支払わなければならないとか，振出人が残額の支払をするまで待たなければならないというのでは，保証人の権利行使を十分に保障しているとはいえないのではないでしょうか。

T　実は，手形法のなかに手形金額の一部につき権利を取得した者の権利行使の方法を定めたものがあります。それは手形法51条後段です。これは為替手形に関する規定なので，わかりにくいと思いますが，為替手形の支払人が一部引受をした場合には，手形所持人は残額につき遡求権を行使することができます（手43条1号。⇨★ ***178***）。そこで残額につき遡求義務を履行した者は，その分につき自分の前者である遡求義務者に対して手形上の権利を取得します。上記の規定は，この権利を行使できるようにするために，自分が遡求義務を履行する際に，手形所持人に手形の証明謄本（および拒絶証書）の交付を要求できる旨を定めています。

M　たとえばAがBを受取人とし，甲を支払人として金額100万円の為替手形を振り出し，BがこれをC，Dと裏書し，甲は70万円について引受をし，

Dが残額の 30 万円につきCに対して遡求権を行使した場合には，Cがそれを支払うに際して，AおよびBに対する権利行使のために，Dに対して手形の証明謄本を要求できるということですね。

T　そうです。

N　手形の証明謄本というのはどういうものですか。

T　それは拒絶証書と同じく公証人または執行官が作成した手形の謄本で，それには一部支払の旨が記載されます。

N　全部支払の場合の手形自体の交付に相当するものが，一部支払の場合の手形の証明謄本の交付ということになるわけですね。そこで先生がおっしゃりたいことは，その規定を一部保証をした保証人が保証債務を履行する場合にも類推適用すべきだということではないですか。

T　先回りされてしまいましたね。その通りです。さらにいえば，たとえば手形がA→B→Cと移転し，BC間の原因関係が一部につき消滅した場合には，手形権利移転行為有因論によればBはその一部につき手形上の権利者になるわけですが (⇨★ *41*)，その権利を行使するについても先の 51 条後段の規定を類推適用すべきではないかと考えているのです。

M　なるほど。それで手形権利移転行為有因論もしまりがついたという感じですね。

17 時　　効

★ *147*　(1) 時効期間

T　手形上の権利が時効によって消滅することは普通の債権と同じです。その時効期間については手形法に規定があります。AがBを受取人として約束手形を振り出し，BがCに，さらにCがDに裏書譲渡した場合を例にして説明して下さい。

図17

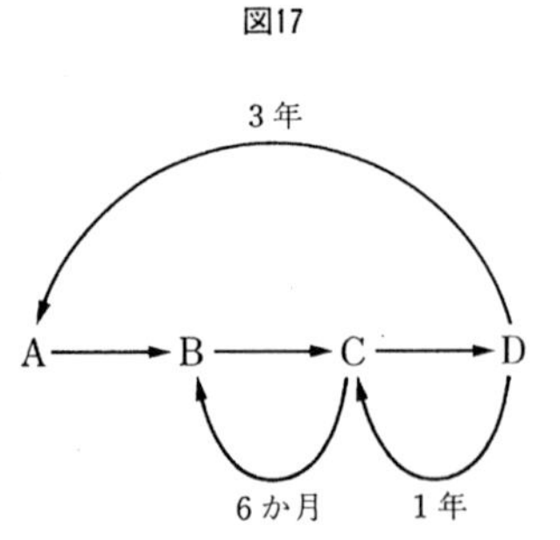

⑴ 振出人に対する権利の時効

M　まず振出人Aに対する権利の時効期間は 3 年です。

N　それはどの規定によりますか。

M　手形法70条1項です。77条1項8号で70条を準用しております。

N　しかし70条1項は引受人に対する権利が3年で時効にかかると規定し，77条1項8号は70条を約束手形に準用する旨を規定しているだけで，これだけでは直接に約束手形の振出人の時効について規定したことにはならないのではないでしょうか。

T　N君，手形法78条1項をみて下さい。

N　わかりました。78条1項で，約束手形の振出人は為替手形の引受人と同一の義務を負うと規定していますから，時効に関しても引受人と同じに取り扱われるということですね。

★ *148*　㋺　手形所持人の遡求義務者に対する権利の時効

M　次にDのCに対する権利は，拒絶証書の作成が免除されていないときは拒絶証書作成の日付から，それが免除されているときは満期の日から1年です(手70条2項・77条1項8号)。

N　DがCをとび越えてBに対して直接に遡求権を行使する場合はどうですか。

M　その場合も同じです。

★ *149*　㋩　再遡求の場合

M　Cは，Dに対して遡求義務を履行した場合には，前に説明されたように(⇨★ ***137***) Bに対して再遡求をすることができますが，このCのBに対する権利は，①CがDに遡求義務を履行して手形の交付を受けた日──「手形の受戻をした日」というのはこのことです──，または②CがDから訴えを受けた日から6か月で時効にかかります。

N　①はよくわかりますが，②はよくわかりません。DがCに対して遡求義務の履行を求めて訴えを提起したときは，Cが遡求義務の存在を争ってその履行をせず，したがって手形の交付を受けていないから，Bに対して再遡求権を行使することができない状態ですね。そうでありながら，その訴えを受けた日からCのBに対する権利の時効が進行するということですか。

M　そうです。

N　民法166条1項は，消滅時効は権利を行使することができる時から進行すると規定しておりますが，②はその例外になるわけですね。どうしてそのような例外が設けられたのですか。

T　それは，Cがいたずらに遡求義務の存在を争っていつまでも遡求義務の履行を遅延することを阻止するためだといわれております。

N　たしかに理由もないのに遡求義務を履行しない場合もあるかと思いますが，遡求義務を負っているかどうかが明らかでないためにその履行をしないで判決が出るのを待つという場合もあると思います。この後の場合でも，CがBに対して再遡求権を行使しようとすれば，Dから訴えの提起を受けてから6か月以内にDに遡求義務を履行して手形の交付を受けなければ再遡求権を行使できないということでしょうか。

T　いや，そうではありません。②の場合のCのBに対する権利の時効中断については，特別の規定が設けられています。M君，説明して下さい。

M　それは手形法86条で規定されているもので，CのBに対する権利の時効はCが訴えを受けた場合——②の場合——には，Bに対して訴訟告知をすることによって中断するとされています。

N　そうすると，訴訟告知をしておいて時効を中断しておけば，いくらでもその履行をおくらせることができるわけですから，遡求義務の履行を遅延することを阻止するために②のような時効を設けたといってみても，あまり効果はないということですね。

T　たしかにN君のいうとおり，②の時効の趣旨は必ずしも貫徹されていないということができるでしょう。

N　いまはCのBに対する再遡求権に関する時効期間——6か月——を問題にしましたが，CのAに対する手形上の権利は再遡求権ではありませんから（⇨★ ***137***），前に論じた通り（⇨★ ***147***），満期日から3年ということでよいのでしょうね。

T　その通りです。

★ *150*　㈢ 第1次的義務者に対する権利が時効消滅した場合等

N　たとえばDがCに対して手形金請求の訴訟を提起している間に，満期から3年経過してAに対する権利が時効で消滅した場合にはどうなりますか。

M　その場合には，Cに対する償還請求権を行使することができなくなると解されています。

N　CとしてはDに遡求義務を履行すればAに対して手形上の権利を行使できるのに，Dのせいでそれができなくなってしまったのだから，Dに対する償還義務も消滅するということですね。しかし，Cがさっさと償還義務を履行すればそのような結果が生じなかったともいえるわけですね。

T　それはそうですが，やはり振出人と遡求義務者との間には前後の関係があって，前者――振出人――の義務が消滅すれば後者の義務も消滅するという結果になると考えるべきでしょう。

N　そうすると，たとえば，BとCというように遡求義務者が2人いて，Bの義務が時効消滅すると，Cの義務も消滅すると解することになりますか。BはCの前者という関係に立ちますから……。

T　そう考えるべきでしょう。したがって，Dとしては直接に遡求権を行使している相手方（C）の前者に対する権利が時効消滅しないように注意しなければならないということになるわけです。

★ *151*　(2)　時効中断事由――請求による時効中断――

T　これまでにも触れましたが，手形上の権利の時効についても，その中断が問題になります。どういうものが中断事由になるか説明して下さい。

M　手形上の権利の時効の中断については，手形法には先ほど取り上げられた訴訟告知について規定がありますが，それ以外には民法147条が適用され，(イ)請求，(ロ)差押，仮差押または仮処分および(ハ)承認が中断事由になります。

T　訴訟告知による時効中断についてはすでに触れましたので，ここではいろいろ議論のある請求による時効中断について取り上げましょう。これについてはどういう問題がありますか。

M　請求というのは手形上の権利を行使することですが，時効中断の効力が生ずるような請求といえるためには，①手形を呈示することが必要か，②手形を喪失して所持していない者が時効を中断することができるか，あるいはさらに③白地手形のままの請求で時効中断の効果が生ずるか，ということが議論されています。

N　請求というのは，手形上の権利の行使のことですから，手形の呈示証券性からいって，手形を呈示して請求しなければならないのではないでしょうか。

M　たしかにかつての判例はいまN君がいった通りに考えていましたが，最高裁昭和38年1月30日大法廷判決（民集17巻1号99頁）は，内容証明郵便で催告――裁判外の請求（民153条）――をした事案につき，(イ)催告を時効中断事由にしたのは催告をした権利者がもはや権利の上に眠っているのではなく，権利行使の意思が客観的に表現されているからであり，(ロ)催告による時効中断は6か月以内に裁判上の請求その他の強力な手続を採らなければその効力が生じない予備的，暫定的なものであることを考慮すれば，(ハ)時効中断事由としての催告はその意思通知が債務者に到達すれば足りるといっています。

N　しかし，前に手形の呈示証券性の個所でも論じたことですが(⇨★ ***118***)，手形債務者にとって手形なしで催告されたって，催告している者が真実の権利者かどうかわからないはずで，そのことは時効中断についても問題になるのではないでしょうか。いいかえれば，手形を呈示しないで催告をしたからといって，権利の上に眠っていないことの客観的表現だといえるかという疑問を感じます。

M　もっともですが，前述の判決もいっていることですが，たんに手形の時効中断のための請求にまで手形を現実に呈示しなければならないとすることは，必要以上に手形債権者に不便を強いるということがいえるのではないでしょうか。

N　その点はよくわかります。そのことと，手形が呈示されない以上，権利者かどうかわからないという問題とを，どういうふうに調整したらよいかという疑問を感ずるのです。

T　N君の疑問はもっともですね。それでは，手形の呈示なしの催告に時効中断の効力を認めたとして，権利者でない者が催告をしたと仮定した場合に，その後どのような結果になるかを考えてみましょう。

N　その場合には，先ほどの判決の(ロ)でいっているように，その者は6か月以内に裁判上の請求をしなければなりません。そうでないと時効中断の効力が生じません（民153条）。

T　裁判ではその者の請求が認められますかね。

N　権利者でない以上，認められるはずがありません。

M　先生のおっしゃりたいことは，手形の呈示のない催告に時効中断の効果を認めても，その催告をした者は6か月以内に訴訟を提起しなければならず，その訴訟ではその者が無権利者である以上，請求が棄却されるから，それでかまわないではないかということですか。

T　その通りです。私としては，時効中断はできるだけ緩やかに認めるべきではないかと考えております。そして，N君のような疑問については，催告による時効中断は6か月以内に訴訟等——公に権利の存否を確定する手続——を提起しなければ効力が生じないわけですから，その訴訟での判断に委ねればよいと考えます。

N　時効中断をできるだけ緩やかに認めた方がよいというのは，どういうことですか。

T　時効期間内に請求をしたということは，その期間内に，公に権利の存否を確定する手続をとった——裁判上の請求の場合——か，そうでなくても公に権利を確定するための予備的手続をとった——催告の場合——わけですから，時効期間内にそういう手続がとられた以上は，手形が呈示されたかどうかというようなことを問題にせずに，正面から公に権利の存否を確定する手続でその請求の当否を判断すべきではないかということです。

M　なるほど，時効期間内に公に権利の存否を確定する手続またはそのための予備的手続がとられた以上は時効制度は背後に退くべきだという考え方ですね。わかるような気がします。

N　その考え方をとれば，先ほどあげられた②や③の問題も同じように取り扱われることになりますね。たとえば，③白地手形のまま訴えを提起したことによって時効が中断するかという問題についても，時効期間経過前に白地手形によってであっても手形金請求訴訟を提起して公に権利を確定する手続をとった以上は，その手続でその請求が認められるかどうかを判断すべきであって，時効によって解決すべきではないということになるのではないでしょうか。

T　私はそのように考えております(前田132頁以下)。この白地手形について判例・学説を紹介して下さい。

M　判例は，白地手形のままの訴えの提起につき，ちょうど先ほどの手形の呈示なしの催告についてと同じく，かつては時効中断の効力を否定しておりましたが，昭和41年および昭和45年と引き続き最高裁大法廷判決が出て，時効中断の効力を認めております(民集20巻9号1674頁，同24巻12号1876頁)。

N　どういう理由で時効中断の効力を認めたのですか。

M　満期の記載のある白地手形の振出人に対する権利は満期から3年で時効にかかる以上は，未完成のままでも時効の進行を中断するための措置をとりうると解するのが相当だといっております。

N　これらの判決も，手形上の権利行使には完成手形の呈示が必要だという手形の呈示証券性との関係については触れていませんね。

M　そうです。学説は，これらの判決に対しては，そのように解しなければ結果的に不都合が生ずるといっているだけで，理論的な根拠を欠いているという批判がなされています。

N　学説はどのように主張しているのですか。

M　大部分の学説は，結論的には近時の判例に賛成していますが，その理由としては，(イ)白地手形による訴訟提起により権利の上に眠っていないことが客観的に表現されているというもの，(ロ)白地手形と補充後の手形との関連性ないし同一性を指摘するもの，(ハ)要件の欠缺が受取人ないし確定日払手形の振出日のように手形上の権利義務の内容と関係がない事項に関する場合にのみ時効中断の効力を認めるものなどがあります。

N　(イ)については，手形の呈示のない催告に時効中断の効力を認めるかという問題に関連して先ほど提起したのと同じ疑問があてはまりますね。(ロ)については，白地手形と完成手形を比較した際に論じたように（⇨★ ***57*** 以下），権利行使の面では両者は峻別されるのに，時効中断——これも権利行使の面の問題だと思いますが——の効果についてだけは両者が同一だというのは，説明がつかないのではないでしょうか。

T　もっともな疑問ですね。

N　それよりは，先ほどの議論——白地手形によってであれ，公に権利の存否を確定する手続がとられた以上は時効によって解決すべきではないという議論——のほうが説得力がありますね。

M　これによると，(ハ)のような議論をする必要もないわけですね。白地手形による催告についても同じ論法で，公に権利の存否を確定する予備的手続がとられたということで，中断の効力が認められるわけですね。

T　その通りです。

18　利得償還請求権

★152　(1) 意　義

T　約束手形の最後として，利得償還請求権について取り上げましょう。これはどのような権利ですか。

M　それは，手形法85条に規定されているもので，手形上の権利が時効または手続の欠缺によって消滅した場合に，それにより利得を受けた手形債務者に対して，手形所持人がその受けた利得の限度で償還を請求できるという権利です。

N　時効による権利の消滅というのはよくわかりますが，手続の欠缺による権利の消滅というのは，どういうことをいうのですか。

M　それは遡求権についてです。呈示期間内の手形の呈示を怠ったとか，拒絶証書の作成が免除されていないのにその作成を怠ったために遡求権が消滅したことをいいます。

N　その点はわかりました。基本的に疑問なのは，普通の債権といいますか，手形債権以外の債権といいますか，それは時効で消滅すれば債務者は得をしますが，その場合に債権者だった者が債務者にその利得の償還を請求できるという考え方はありえないと思います。不当利得の返還請求権が認められるとは考えられません。手形債権についてだけ，それが時効消滅したら利得償還請求が認められるというのはどうしてですか。

M　一般には，手形上の権利は消滅しやすく，それによって一方では利得する者がおり，他方で損害を蒙る者がいるのを放置しておくことは，公平に反するという説明がなされています。

T　N君の疑問ももっともで，英米法ではこのような権利は認められておりません。しかし，現行法で認められているこの権利の存在意義を説明するとしたら，いまM君が紹介したようなことになるでしょう。

★153　(2) 利得償還請求権の成立要件

① 利得の存在

ⓐ 利得の意味――現実に生じた利益――

N　先ほど，Mさんは，権利の消滅によって利得を受けた者がいる場合に利得償還請求権が発生するといわれましたが，ここで利得とはどういう意味ですか。

M　原因関係上，現実に生じた財産上の利益を意味すると解されています。たとえば，売買の目的物の交付を受けて手形を振り出した場合に，手形債務を免れたときは，目的物の交付を受けた分が利得になります。しかし，手形債務を免れたというだけでは，ここでいう利得にはなりません。

N　手形債務を免れた分が利得にならないというのは当然ですね。そうでないと，手形債務が利得償還義務に入れ替っただけで，手形債務が消滅した意味がなくなってしまいますから……。

M　その通りです。しかし，原因債務を免れたことは利得になります。たとえば，借入金債務を消滅させて手形を振り出した場合において手形債務が消滅したときは，借入金債務を免れた分が利得になります。

N　よくわかりました。いまあげられた例はすべて振出人について利得が生ずる場合でしたが，裏書人についてはどうでしょうか。

M　裏書人の場合には，通常は利得がないと解されます。というのは，下図のように，裏書人Bはその被裏書人Cとの間で利得をしますが，その分はその前者Aとの間の取引による出捐との差引によって消滅してしまうからです。例外的に裏書人に利得が生ずるのは，AB間の「＋100 万円　－100 万円」という取引が存在しない場合です。

図 18

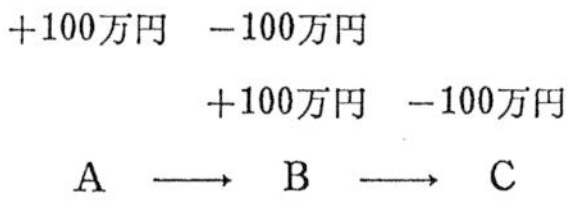

＋100万円	－100万円	
	＋100万円	－100万円
A　⟶	B　⟶	C

N　なるほど。AB間でそのような取引がない場合というと，AがBに融通手形を振り出した場合ですね。

T　その通りです。そのほかに，BがAに売買の目的物を交付しないでAB間の売買契約が解除された場合なども含まれます。

★ *154*　ⓑ　原因関係上の債務の存否と利得の有無

M　利得の意味に関しては，手形債務が消滅したが原因債務は存続しているという場合に，利得があるといえるかが問題とされています。具体例をあげると，Aが原因債務たとえば借入金債務の「支払に代えて」手形を振り出した場合なら利得があることは問題ないのですが，「支払のために」(⇨★ *48* 以下) 手形を振り出し，Aの手形債務は満期から3年で時効消滅したが，Aの借入金債務は存続しているという場合に，Aに利得があるといえるかが問題とされています。

N　手形所持人としては，Aに対して利得償還の請求をしなくても原因関係上の権利を行使すればよいという考え方でしょうか。しかし，いまMさんがあげた例で，①手形所持人が受取人Bであるときはよくわかりますが，②手形所持人がBからの被裏書人Cであるときは，CはAに対して原因関係上の権利を行使するということは考えられませんから，この場合にAに利得がないといったら困ってしまいませんか。

M　N君のいうことはもっともです。判例も，①のケースについてはAの利得を否定し（最判昭36・12・22民集15巻12号3066頁等），②のケースについてはこれを肯定して，CのAに対する利得償還請求を認めております（最判昭43・3・21民集22巻3号665頁）。

N　しかし，①も②も同じくAが原因債務の支払のために手形を振り出した事例なのに，利得の有無について結果が異なるというのは，理論的に一貫しないのではないでしょうか。

T　そうすると，どう考えたらよいと思いますか。

N　①の場合にもAに利得があり，したがってBはAに対して利得償還請求権を行使できると考えるべきではないでしょうか。

M　同感です。したがって，BはAに対して利得償還請求権と原因関係上の権利のいずれかを選択して行使することができ，一方が履行されたら他方も消滅すると考えればよいと思います。

N　利得償還請求権といっても，それほどもったいぶって考える必要はなくて，手形上の権利が存続している間は，手形上の権利と原因関係上の権利が併存していたのが，その消滅によって手形上の権利が利得償還請求権に変わっただけで，これと原因関係上の権利とが併存するにいたると考えればよいわけですね。

T　いまの2人の発言は，利得償還請求権の性質，ことにそれと手形上の権利との関係にも及びましたね。この点はまた後でも問題になりますので（⇨**★*157***），念頭において下さい。

★ *155*　㋺　他に救済方法が存在しないことが必要か

M　手形所持人が他に手形上または原因関係上の権利――他の救済方法――を有していないことが利得償還請求権成立の要件となるかが問題とされています。

N　その問題と，いままで論じてきた原因債務の存否の問題（⇨★ ***154***）とはどういう関係になりますか。同じ問題のようにも感じられますが……。

M　たしかに，先ほどの①の事例についてみれば，両者は同じ問題で，ただAが原因債務を負っているという面からみるか，それともBが原因関係上の権利を有しているという面からみるかの違いだけです。しかし，②の事例において，たとえばCがBに対して原因関係上の権利行使が可能な場合に，Aに対して利得償還請求権を行使できるかというのが，ここで出された問題で，このことは，AB間で原因関係の支払に代えて手形が振り出された場合にも問題になります。この点について，通説・判例はこれを否定しております。

N　なるほど，問題点はわかりました。しかし，その点も前に論じたと同じように（⇨★ ***154***），手形上の権利が併存していたときは，CはBに対する原因関係上の権利――遡求権も存続していることもありうるかもしれません――とAに対する手形上の権利が併存していたのが，その消滅によって，Bに対する原因関係上の権利とAに対する利得償還請求権とが併存するにいたると考えれば足りるのではないでしょうか。

T　ここでも，利得償還請求権をどのような性質のものと考えるかということが関係してきましたね。

★ *156*　(3)　利得償還請求権の取得・行使の要件

㋑　利得償還請求権取得の要件

T　利得償還請求権に関しては，その取得および行使の要件についても議論がなされています。はじめにその取得の要件について取り上げましょう。どういう議論がありますか。

M　利得償還請求権というのは，手形上の権利が消滅した場合――これを「失権」ということがあります――に，その時点で発生するものですが，その時点で手形上の権利者ではあったが手形を所持しておらず，それに代わる除権判決も得ていなかった者が利得償還請求権を取得するかが議論されています。

N　失権当時，手形上の権利者であったが手形を所持していないものというと，たとえば手形を盗まれたり，落としたりした——手形を喪失した——がその手形につき善意取得者が生じていない場合にその盗まれた者あるいは落とした者がそうですね。そのような者が利得償還請求権を取得しないとすると，だれもこれを取得する者がいなくなって，利得がそのまま放置されることになりますね。失権後に善意取得者が生ずるということはありえないですから……。

M　その通りです。したがって，判例（最判昭34・6・9民集13巻6号664頁）も通説もその者が利得償還請求権を取得することを認めております。

★157　㈲　**利得償還請求権行使の要件**——利得償還請求権の性質と関連して——

N　自分でいまいったことを否定するような結果になるかもしれませんが，前に，手形を所持していない者が他に善意取得者が生じていないことを立証することができるかということを問題にして，それが不可能であるから，それに代わるものとして公示催告手続によって除権判決を受けるという制度になっていることを論じました（⇨**★122**以下）。このことはいま論じている問題にもあてはまるのではないでしょうか。

T　いまN君が指摘したことは，どういう問題に関連して論じたのですか。

N　手形を喪失した者が手形上の権利を行使することができるかという問題に関連してです。

T　そのことをいま論じている利得償還請求に関連させると，どういう問題になりますか。

M　それは利得償還請求権行使の要件に関する問題になります。

N　そうですね。手形喪失者でも，利得償還請求権を行使する時点で除権判決を得ておけばよいわけですね。

T　ちょっと待って下さい。N君が利得償還請求権行使の要件について結論を出してしまったような感じですが，この点についても議論が分かれていますので，M君，これを説明して下さい。

M　その問題は利得償還請求権の性質をどのように考えるかということと密接に関連しており，それについては2つの考え方が対立しております。ひとつは，利得償還請求権を指名債権の一種と考える見解——指名債権説——で，これによると，その行使のために手形を呈示すること，またはそれに代わる除権判決を得ることは不要だということになります。

N　前に，有価証券に結合していない債権が指名債権だという説明がありましたが（⇨★ *6*），利得償還請求権が指名債権の一種だということは，それが有価証券に結合した権利ではないということを意味するわけですね。

T　その通りです。したがって，その行使に証券が不要だということになるわけです。

M　もうひとつの見解は，利得償還請求権を手形上の権利の変形物とみるもの――変形物説――で，その内容は人によって必ずしも一致しておりませんが，その典型的な考え方によれば，利得償還請求権は「手形」――手形上の権利が消滅した後の手形――に結合した権利であって，したがって，その行使には，「手形」またはそれに代わる除権判決を得ることが必要だということになります。

N　その見解によると，手形上の権利がその失権によって「手形」上で利得償還請求権に変形したものだと理解するわけですね。

T　「手形」上で変形したというのはうまい表現ですね。

N　この変形物説によると，利得償還請求権の譲渡にも「手形」の交付が必要だということになるわけですね。

T　その通りです。

N　そうすると，失権後の「手形」も，利得償還請求権を結合した有価証券ということになりますね。この立場では，利得償還請求権と手形上の権利とは，非常に似たものになりますが，どういう点で差異があることになりますか。

M　第1に，手形上の権利は指図債権で，裏書によって譲渡でき，また善意取得や人的抗弁切断の制度が適用されるのに対して，利得償還請求権は，ちょうど前に取り上げた裏書禁止手形（⇨★ ***67*** 以下）の場合と同じで，善意取得や人的抗弁切断制度の適用がありません（これを記名債権，これを結合している証券を記名証券といいます）。第2には，いままでも論じてきた通り，手形上の権利の場合には手形債務者に対して手形金額を当然に請求できたのに対して，利得償還請求権に変わった場合には手形債務者中の利得を得た者に対してだけ，しかも利得を得た限度でのみ請求できるにすぎなくなります。

N　指図債権から記名債権に変わるということと，請求の相手方および請求金額が縮減するということですね。

T　その通りです。ところで，みなさんは指名債権説と変形物説のどちらが適当だと思いますか。

N　まだ結論を出すにはいたっておりませんが，指名債権説は利得償還請求権を手形上の権利とは性質が基本的に異なるものとして捉えるのに対して，変形物説はこれを手形上の権利の延長線上にあるもので，それがいま指摘したような点で縮減したものと考えているのでしょうね。

M　指名債権説と変形物説とで具体的に差異が生ずるのは，手形を喪失した者が権利を行使する場合ではないでしょうか。そこで，この観点から考えてみると，指名債権説に対して，次のような疑問が生じます。というのは，先ほども触れたことですが（⇨★ ***122***），手形が喪失してその所在がわからない場合に，喪失者にとって，失権当時に自分が権利者であったこと，すなわち他に善意取得者が生じていないこと（このことが利得償還請求権を取得するための要件になります）を立証できるかということです。

N　その場合には，公示催告手続により除権判決を得たらよいのではないですか。

M　しかし，除権判決は有価証券における権利と証券との結合を解くものですから（⇨★ ***127***），変形物説をとったときはそれが可能ですが，指名債権説をとったときはそれは不可能ではないですか。

N　そうですね。うっかりしていました。そうすると，指名債権説のいわんとするところは，他に善意取得者がいないことが立証できる場合にもわざわざ除権判決を得なければならないという必要はないのではないかということにあるといえますね。

M　そうだと思いますが，そもそも，公示催告手続によって除権判決を得るという制度は，いまも触れたように，手形喪失者が他に善意取得者が生じていないことを立証することが不可能だということから工夫されたものだったのではないですか。

N　なるほど。

T　M君の論鋒は鋭いですね。たしかにその点が見解の分かれ目ですね。手形を振り出した者としても，手形を振り出した以上は最後まで――手形上の権利が失権して利得償還請求権に変わった後も――「手形」で決済する意思だと考えるのが合理的でしょうね。

N　先ほど，利得償還請求権の成立要件のところで(⇨★ ***154, 155***)，手形上の権利が利得償還請求権にとって代えられたと考えればよいという議論をしましたが，この考え方は，指名債権説ではとりえず，したがって変形物説とつながるものではないでしょうか。

T　そういうことですね。そこで，私は，利得償還請求権とは，「手形」に結合した権利であって，手形上の権利が請求の相手方および請求金額について縮減したもの――それまでは，すべての手形上の義務者に対して手形金額を当然に請求することができたのに対して，利得償還請求権に変形した後は，利得を得た者に対してだけ，かつ利得を得た限度でだけ請求することができるにすぎないという点で――であり，それ以外の点では，手形上の権利と同じに取り扱われるものと理解しております（前田341頁)。このような意味で変形物説をとっております。

N　もちろん，善意取得や人的抗弁切断の制度は適用されないという点でも変更がありますね。

★ *158*　(4)　利得償還請求権の時効

T　利得償還請求権の性質論は利得償還請求権の時効をどのように考えるかとも関係します。この点について説明して下さい。

M　判例は，かつては10年説でしたが，最高裁昭和42年3月31日判決（民集21巻2号483頁）は，「利得償還請求権は，……手形上の権利の変形と見るべきであり，手形上の権利が実質的に変更されて既存の法律関係とは全く別個な権利たる性質を有するに至るものというべきではない」として，それは商法501条4号の「手形に関する行為」によって生じた債権に準じて考えられ，したがってその消滅時効期間については商法522条が類推適用されるとして5年説をとりました。

N　まさに変形物説ですね。

第3章　為替手形について

★*159*　1　約束手形との比較――支払約束と支払委託――

T　これまでは，約束手形についていろいろ論じてきましたが，そこで論じたことは，原則としては，為替手形および小切手についてもあてはまります。これから，為替手形について取り上げますが，そこでは，約束手形との比較あるいは為替手形に特有の点に重点をおきたいと思います。はじめに，M君，為替手形とはどういうものかを説明して下さい。

M　約束手形と比較しながら説明しますと，約束手形の場合には，振出人が手形金額を受取人またはその者から裏書を受けた者に支払をする旨の約束をするものである（⇨★*27*）のに対して，為替手形の場合には，振出人が支払人に対して，受取人またはその者から裏書を受けた者に手形金額の支払をするように委託するものです。

N　そうすると，振出の段階では，約束手形の場合には，振出人と受取人の2当事者が記載されればよいのに対して，為替手形の場合には，振出人と受取人のほかに支払人も当事者として加わり，3当事者が記載されなければならないことになりますか。

M　その通りです。そして，約束手形の場合には，振出人が受取人に対する手形金額の支払を約束する証券なので，支払約束証券といわれますが，為替手形の場合には，振出人が支払人に対して受取人に手形金額の支払を委託するものなので，支払委託証券といわれます。

T　そういうことですね。これらの点は，為替手形の記載事項のところで，また触れることにしましょう。

N　いま為替手形の場合に3当事者が記載されなければならないということでしたが，手形行為との関係からいいますと，だれが手形債務を負担することになりますか。

T　その点は約束手形の場合とはかなり様子が違いますので，また後でも取り上げますが（⇨★*169*, *172*），ここでは，約束手形との比較という観点から，結論だけ説明して下さい。

M　為替手形の支払人は，たんに振出人から支払人として記載されただけで，手形上に署名しているわけではありませんから，そのままでは手形上の義務を負いませんが，支払人が引受という行為をすることによって，支払を引き受けたことになりますので，約束手形の振出人と同じ第1次的な無条件の義務を負うことになります。これに対して，為替手形の振出人は，約束手形の振出人が第1次的な無条件の義務を負う（⇨★ *27*）のと異なり，支払人の支払拒絶の場合等に手形上の義務を負う遡求義務者になり，その点では裏書人と同じ性質の義務を負います。

N　約束手形の振出人は支払を約束しているから第1次的な無条件の義務を負うのに対して，為替手形の振出人は支払を委託しているにすぎないから，遡求義務を負うにすぎないということになるのでしょうか。

T　その通りです。もちろん，ほかに裏書人や保証人が手形上の債務を負うことは，約束手形の場合と同じです。

★ *160*　2　為替手形の経済的機能

N　為替手形はどういうように使われるのですか。

T　それはもっともな質問ですね。約束手形の場合は支払約束証券ですから，支払手段として利用されるわけですが（⇨★ *43* 以下），為替手形はいま説明したように支払委託証券ですから，その性質からどのように利用されるかということですね。M君，説明して下さい。

(1)　国際取引における取立の手段

M　為替手形が主として利用されるのは，国際取引の決済手段としてです。しかも，約束手形の場合には，買主（債務者）が売主（債権者）に代金弁済のために振り出すのが通常ですが，為替手形の場合にはそれとは逆に，売主のほうが代金取立のために買主に振り出すのが通常です。

㋑　単純な方法の場合

N　売主が代金取立のために買主に振り出すといわれましたが，その場合，買主は受取人になるのですか。それはおかしい感じがしますが……。

M　いいえ，売主が買主を支払人として振り出すのです。先の説明は不十分でした。

T　その点が重要なことですね。約束手形の場合には，買主が売主を受取人として振り出しますが，為替手形を代金取立の目的のために利用するときは，売主が買主を支払人として振り出すわけです。このことを，売主が買主に「宛てて」振り出すといいます。もっとも，後で取り上げますが商業信用状付取引の場合には，支払人はその発行銀行になります（⇨★ ***162***）。

N　よくわかりました。買主を受取人としたのでは，取立の目的を達することができないと思ったので質問したのです。そうすると，受取人にはだれがなりますか。

M　売主＝振出人の取引銀行を受取人とするのが普通です。というのは，先ほどいいましたように，為替手形は国際取引の決済手段として利用され，売主と買主とは，たとえば東京とニューヨークというように隔地者になりますので，売主は，買主を支払人として振り出した為替手形を自分の取引銀行に対して割引を依頼し，または取立を依頼するのが普通だからです。

N　たとえば，東京に住んでいる売主Aが，ニューヨークに住んでいる買主Bから売買代金を取り立てるためにBを支払人として為替手形を振り出したとすると，Aの取引銀行である東京のたとえば甲銀行を受取人とするということですね。

M　その通りです。そして，割引の場合には，甲銀行は，手形と引換えにAに割引金を交付し，その手形を甲銀行のニューヨーク支店——支店がないときは甲銀行の取引銀行——に送付して，買主Bから手形金を取り立てて，手形金を回収しますが，それによりAB間の売買代金の決済もすむことになります。取立依頼の場合には，甲銀行はBから手形金を取り立てた上でAに手形金を交付することになります。

図19

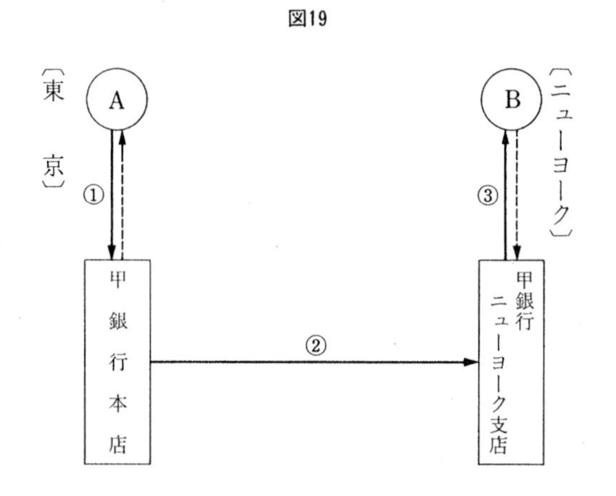

N　甲銀行がAに割引を

してやったところが，Bが手形金を支払わなかったという場合はどうなりますか。

M　その場合は，為替手形の振出人が遡求義務者ですので，甲銀行はAに遡求することになります。

T　その通りですね。ところでN君，割引の場合について，手形の動きとお金の動きとを黒板に書いてみて下さい。

N　はい。手形の動きを実線で，お金の動きを点線で示し，その動きの順序を数字で示しますと，図19のようになるのではないでしょうか。

T　そういうことですね。

★*161*　㈣　荷為替取引および商業信用状付荷為替取引

T　いま説明したのは為替手形が利用される最も単純な方法ですが，実際には，これが変形されて，荷為替取引あるいはさらに商業信用状付荷為替取引という形で利用されるのが一般です。M君，はじめに，荷為替取引について説明して下さい。

ⓐ　荷為替取引

M　はい。荷為替取引というのは，いま，説明した取引に船荷証券等の運送証券を伴わせるものです。荷為替の「荷」というのは船荷証券の「荷」をとったものだと思います。

N　その場合の船荷証券というのは，売主Aが売買の目的物をニューヨークに送付するために船長から交付を受けたものですか。

M　その通りです。Aは，それを為替手形とともに甲銀行に交付し，甲銀行は為替手形と船荷証券とを合わせてニューヨークの支店に送付し，買主Bが手形金の支払をした場合に船荷証券を渡してやることになります。

N　なるほど，買主Bは手形金すなわち売買代金を支払わなければ船荷証券をもらえないわけですね。

M　その通りです。Bは船荷証券がなければ売買の目的物の交付を受けられませんから，結局，隔地者間の取引でありながら，売主と買主との間で目的物の交付と売買代金の支払とを同時履行の関係に立たせることができるわけです。

T　その上に，売主Aと甲銀行との間の関係では，Bが支払を拒んだ場合には，甲銀行は，Aに遡求権を行使するだけでなく，船荷証券を換価して割引金を回収できることになります。

N　そうすると，荷為替取引にすることによって，売主Aにとっては，隔地者間の取引でありながら同時履行の関係に立たせることができ，また，割引銀行である甲銀行にとっては，売買の目的物を割引金回収のための担保とすることができることになるわけですね。

M　そうです。ちょっと補足させていただきますと，先ほど，甲銀行ニューヨーク支店は，Bが手形金を支払わなければ船荷証券を交付しないといいましたが，そのような場合と，Bが為替手形の引受をして，第1次的な無条件の義務を負った場合に船荷証券を交付する場合との2つの場合があります。

N　引受をすれば船荷証券の交付を受けられるというのは，買主に信用がある場合でしょうね。

M　そういうことだと思います。支払と引換えに船荷証券の交付を受けられる場合を支払渡（しはらいわたし。D/P），引受をすれば交付を受けられる場合を引受渡（ひきうけわたし。D/A）といいます。

★ *162*　ⓑ　商業信用状付取引

T　それでは商業信用状付取引について説明して下さい。

M　商業信用状付取引の場合には，買主Bの取引銀行乙がBの依頼に応じて商業信用状をBに発行します。この商業信用状は，売主Aおよび甲銀行に対して，発行銀行乙が信用状に記載した一定の条件に合致した為替手形についてはその支払または引受をすることを約するものです。

図20

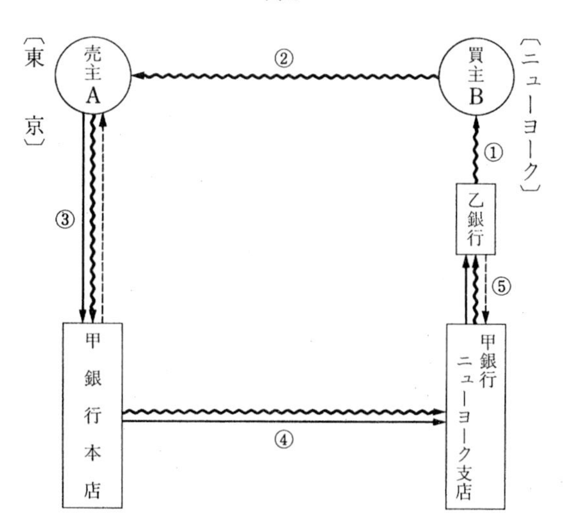

N　いま乙銀行が為替手形の支払または引受をするといわれましたが，そうすると，この取引の

場合には，乙銀行が支払人になるのでしょうか。

M　その通りです。そして，BがAに対して乙銀行発行の商業信用状を送付するのですが，そうするとAはBではなく乙銀行を支払人として為替手形を振り出し，船荷証券と商業信用状を合わせて，甲銀行に持ち込んで割引を受けることになります。甲銀行はこれらをニューヨーク支店に送付して乙銀行から支払または引受を受けることになります。

T　いまの関係を黒板に示して下さい。

N　はい。ちょっと複雑ですが，手形および船荷証券の動きを実線，お金の動きを点線，商業信用状の動きを波線で示します（⇨図 20)。

T　結構ですね。

★*163*　(2)　送金の手段

T　為替手形は送金の手段として利用されることもありますが，その仕組について説明して下さい。

M　先ほどの例で，買主Bが売主Aに送金する場合に，甲銀行ニューヨーク支店に資金を払い込んで，甲銀行ニューヨーク支店から東京の甲銀行本店を支払人とする為替手形を振り出してもらい，それを東京のAに送付します。そうすると，Aは甲銀行本店にその手形を呈示して支払を受けることになります。

3　振　　出

★*164*　(1)　支払委託の法的性質

㋑　支払委託の2つの側面

N　支払委託ということは，常識的には，だれそれに払ってくれということで，その意味がわかるのですが，法律的にはどういうものなのでしょうか。約束手形の支払約束の場合には，その約束に応じた手形債務が発生するわけですが，支払委託の場合はどういう法的効果が生ずるのでしょうか。

M　それは2つの面から説明されております。ひとつは振出人と支払人との関係であり，他のひとつは振出人と受取人との関係です。振出人と支払人との間には支払権限の授与の関係が生じ，振出人と受取人との間には受領権限の授与の関係が生じます。

★*165*　㋺　振出人と支払人との関係——支払権限の授与——

N　どちらもあまり聞き慣れない言葉ですが，はじめに支払権限の授与というのはどういうものですか。

ⓐ　支払の効果を振出人の計算に帰せしめうる効力

M　それは，支払人が振出人の支払委託に応じて支払えば，その効果を振出人の計算に帰せしめることができるということです。

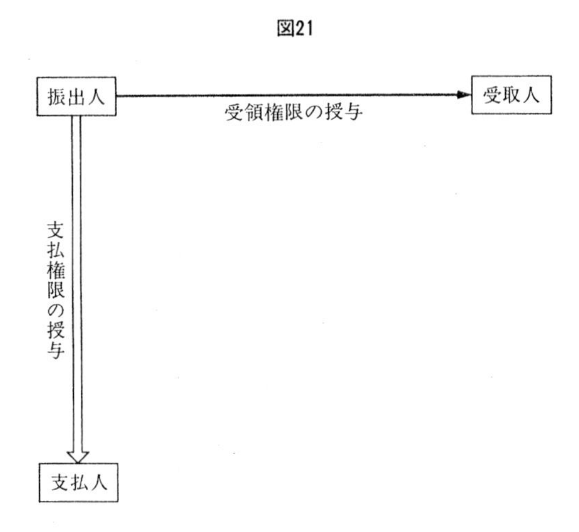

N　振出人の計算に帰せしめることができるというのは，具体的にはどういうことですか。

T　それは振出人と支払人との間にどのような関係があるかによって異なります――この点についてはまた後で触れると思います――が，いちばん基本的な形をあげると，支払人が振出人の支払委託に応じて受取人またはその被裏書人等に支払をすれば，支払人はその支払った金額の償還を振出人に請求できるということです。また，その変形した例をあげると，支払人が振出人に債務を負っている場合に，支払人がその支払委託に応じて支払をすることによって，その債務を消滅させるということもあります。

N　わかりました。結局，支払人が支払っても，その経済的負担を振出人に負わせることができるということですね。

★ *166*　ⓑ　支払人の支払義務の有無――資金関係――

N　ところで，先ほども説明があったように (⇨★ ***159***)，支払人はそのままでは手形上の支払義務を負わないわけですから，手形金を支払うかどうかは全く自由なわけですね。

M　手形上の債務を負うかどうかについてはN君がいまいった通りです。ただ，振出人Aと支払人Bとの間で，AがBを支払人として振り出した為替手形がBに呈示されたときは，Bはその手形を支払う旨の約束がなされているときは，BはAに対する関係で支払義務を負うことになります。

N　引受をしないかぎり，手形上の債務を負わないが，Aに対する関係で支払義務を負うというのは，どういうことですか。

M　手形所持人に対して支払をしなかった場合に，手形所持人に対して債務不履行の責任を負うことはないのですが，振出人に対する関係で支払委託に応ずるという約束に違反した責任——債務不履行責任——を負わされます。

N　もう少し具体的に説明して下さい。

T　先ほどの国際取引における取立の手段として利用される場合を例にして説明したら，どうですか。

M　単純な方法による場合(⇨★ ***160***) の例では，買主Bは売主Aに売買代金債務を負っているわけですから，その取立のためにAがBを支払人として振り出した為替手形を支払う義務を売主Aに対する関係で負っているはずです。また，商業信用状付取引の場合(⇨☆ ***162***) には，支払人乙銀行は商業信用状により為替手形の支払を約束しておりますから，当然，振出人との関係で支払義務を負うことになります。

T　そういうことですね。このような振出人と支払人との関係を資金関係と呼んでおります。

N　約束手形の場合で，原因関係という言葉がありましたが，それと資金関係とはどのように違うのですか。

M　原因関係というのは，振出人と受取人，あるいは裏書人と被裏書人との間で，手形授受の原因となった法律関係のことをいい，その関係は為替手形の場合にも存在します。資金関係というのは，振出人と支払人との間の関係をいいます。

N　わかりました。約束手形の原因関係については，振出人の手形債務は，原因関係の影響を受けないという説明——手形債務負担行為の無因性(⇨★***13***, ***33***)——がなされましたが，資金関係についてはどうでしょうか。たとえば，振出人と支払人との間に，先ほど説明があったような売買とか商業信用状の発行というような関係がなかった場合に，手形の振出の効力はどうなりますか。

T　それはいい質問です。その場合でも，振出の効力は否定されません。支払委託は有効に成立しており，振出人は手形上の担保責任を負います。結局，為替手形の振出の場合には，その効力は，その原因関係からも資金関係からも影響を受けないことになります。

★ *167*　㈥　振出人と受取人との関係——受領権限の授与——

ⓐ　その意義，そのような構成の必要性等

M　次に，振出人の支払委託の効果として，振出人から受取人に対して受領権限が授与されますが，それは，受取人が支払人から手形金の支払を受けた場合にはそれを保有しておくことができ，振出人または支払人から償還を求められることはないという効果が生ずることを意味します。

N　まだ受領権限という概念がぴんとこないのですが……。先ほど，一方では，振出人は，手形上，遡求義務を負うという説明があり，他方では，支払人は手形上の義務を負わないという説明がありましたが，このことと，いま，説明された受領権限ということは，どういう関係になりますか。

T　それも面白い質問ですね。それでは，はじめに，振出人の担保責任と受領権限との関係を取り上げましょう。

M　振出人の担保責任は支払人が支払を拒んだ場合の問題であるのに対して，受領権限は受取人が支払人から支払を受けた場合の問題ですから，それぞれ別の場合を取り扱っていると考えてよいのではないでしょうか。

T　そうですね。それでは，支払人は手形上の義務を負わないということと受領権限との関係はどうなりますか。

M　支払人は手形上の義務を負いませんから，受取人は支払人に対して手形金の請求をすることができませんが，受取人が支払人から手形金の支払を受けた場合にそれを保有していることができるという結果を説明するのが受領権限という構成ではないのでしょうか。

N　なるほど，だんだんわかってきたような気がしますが，まだ，なんとなく腑に落ちないのは，支払人が振出人の支払委託に応じて自分の意思で受取人に支払をした以上は，受取人が支払を受けた手形金を保有してよいのは当然のことで，なんで受領権限という構成が必要かという疑問が生じますが……。約束手形の所持人が振出人から支払を受けた場合とどこが違うのでしょうか。

T　それはもっともな疑問かもしれません。しかし，約束手形の受取人が振出人から支払を受けたという場合には，所持人は振出人に対して手形上の権利

を有しており，まさに権利の行使として支払を受けたわけですから，それを保有できるのは当然で，特別の構成は必要はありません。

N　なるほど，手形所持人が為替手形の支払人から支払を受けた場合には，受取人は支払人に対して手形上の権利を有しないから，支払人から支払を受けた手形金を保有する結果を説明するためには，受領権限という構成が必要だということになるわけですね。

T　その通りです。

M　そしてまた，そのような構成をすることにより，逆に受領権限を有しない者に対しては，振出人または支払人は支払を受けた手形金の返還を請求できるという結果を導くこともできるのではないでしょうか。

N　受領権限を有しない者というのは，たとえばどういう人ですか。

M　手形の盗取者がその典型です。

★ *168*　ⓑ　受領権限の成立・移転・性質等

N　いままで，振出人と受取人との関係で受領権限を論じてきましたが，受取人から手形の裏書を受けた手形所持人との関係はどうなりますか。

M　受領権限は，為替手形に結合しているもので，その交付により移転すると考えられております。

N　そうすると，為替手形は，振出人や引受人，裏書人等に対する手形上の権利だけではなく，受領権限をも表章する有価証券だということになりますか。

T　その通りです。したがって，有価証券の成立要件に関する理論――契約説，発行説および創造説（⇨★ *8* 以下）――は受領権限にも当てはまることになります。

N　そうすると，創造説の立場では，手形の作成によって受領権限が手形に結合し，手形の交付によってそれが移転することになりますか。

T　その通りです。

N　そうすると，もうひとつの問題は，手形権利移転行為について，有因論の立場（⇨★ *40* 以下）をとった場合に，受領権限の移転についてどうなりますか。

T　それはいい質問です。M君，どうなりますか。

M　やはり，有因論が適用されて，たとえば振出人Ａと裏書人Ｂあるいは裏書人Ｂと被裏書人Ｃとの間で原因関係が消滅すれば，ＢあるいはＣは受領権限を失います。

N　なるほど。そうすると，先ほど，受領権限のない者は支払を受けても，それを保有できないという説明がありましたが，ＡＢあるいはＢＣ間で原因関係が消滅した場合には，ＢなりＣなりは支払人から支払を受けても，支払人または振出人からの償還請求に応じなければならないわけですね。

T　その通りです。また受領権限の移転行為については，善意取得や人的抗弁切断の適用もあることになります。

N　前後して申し訳ありませんが，振出人の支払人に対して授与される支払権限については，どう考えたらよいのですか。

T　それはいい点に気付きましたね。支払権限は振出人と支払人との関係ですから，その間の人的関係であって，受領権限と異なり，手形に結合して移転するというものではなく，ただ，その意思表示は手形上の記載によって手形所持人を通じて支払人に伝達されると考えられます。

★ *169*　(2)　振出人の責任

④　遡求事由

T　振出人の手形上の責任が遡求義務であることは前に説明しましたが（⇨★ ***159***），どういう場合に遡求義務を負うかについて説明して下さい。

M　約束手形においては，遡求事由は，①満期において振出人が支払を拒絶した場合および②満期前において振出人の信用悪化を示す一定の事由（破産，支払停止等）が生じた場合など，いずれにしても振出人に一定の事由が生じた場合に発生しますが（⇨★ ***132*** 以下），為替手形においては，主に支払人に一定の事由が生じた場合に発生します。

N　約束手形の振出人に対応させて考えると，支払人が①支払を拒絶した場合および②支払人に破産等の信用失墜を示す一定の事由が生じた場合に遡求権が発生することになりますか。

M　その通りです。①については手形法 43 条前段で，また②の場合は 43 条後段 2 号で規定されております。

N　手形法 43 条前段の「満期に支払がないとき」とは，「満期日」だけを意味するのですか。

T　その点は約束手形について説明したように，支払呈示期間内に支払を呈示したのに支払がなかったことを意味します（⇨★ *133*）。さすがのN君も忘れましたね。

N　申し訳ありません。うっかりしていました。

T　②については，約束手形においても同様ですが（⇨★ *134*），解釈上，支払人・引受人につき和議・会社更生手続開始決定，会社整理・特別清算開始命令がなされた場合も含まれることに注意して下さい。

M　支払人について生じた事由で，約束手形には見られない為替手形に特有の遡求事由があります。それは，③手形法43条後段1号に規定されているもので，支払人が手形所持人からの引受のための呈示がなされたにもかかわらず，支払人が引受を拒絶した場合です。それは満期前の遡求事由であるという点では②と同様です。

N　支払人が引受を拒絶したということは満期に支払人が支払を拒絶する可能性が大きいということから，それを遡求事由にしたのでしょうか。

T　その通りです。

M　最後に，④引受拒絶禁止手形の振出人の破産の場合です（手43条後段3号）。

T　それは引受呈示禁止手形について説明する際に触れることにしましょう。

N　いままであげられた遡求事由は，振出人の遡求義務についてだけでなく，裏書人の遡求義務についてもあてはまるのでしょうね。

T　もちろんです。さらに正確にいえば，それらの者の手形上の保証人についてもあてはまります。

★ *170*　㈺　振出人の無担保文句の記載の可否

N　裏書については無担保文句の記載が許されていますが（手15条1項。⇨★ *107*），為替手形の振出人も担保義務者だとすると，無担保文句の記載が許されるのでしょうか。

M　その点については，手形法9条に規定されており，引受を担保しない旨の記載をすることはできますが，支払を担保しない旨の記載をすることはできず，記載してもその効力が認められません。無益的記載事項になります。

N　ということは，先ほどの遡求事由のうちの③の事由が生じた場合に担保責任を負わない旨の記載は有効であり，①の事由が生じた場合に担保責任を負わないという記載は無効だということでしょうね。そうすると，②および④の場合はどうなるのでしょうか。

T　手形法44条5項は，支払人または引受人の支払停止，その財産に対する強制執行の不奏効の場合には，支払の呈示をして支払拒絶がなされたことを遡求権発生の前提としていますから，これらの場合については無担保文句の記載の効力が否定されることは明らかですね。支払人もしくは引受人の破産，更生手続開始等，または振出人の破産の場合には，支払呈示を前提としていませんが，引受拒絶の場合でないことは明らかですから，同様に解すべきでしょう。

N　結局，為替手形の振出人の場合には，裏書人の場合と異なり，支払無担保文句の記載を認めると，引受のない為替手形では手形上の債務を負う者が存在しない可能性が生ずるので，それを阻止しようとしたのでしょうね。

T　その通りです。

N　ところで，約束手形の振出人が支払義務を負わないという記載をすることは許されないのでしょうね。

M　それはもちろんで，そのような記載をしたときは，その記載が無効になるだけでなく，約束手形の振出の本質的効果に反するものとして，手形自体が無効になると解されています。

N　それは有害的記載事項（⇨★ ***52***）になるということですね。この点にも為替手形と約束手形との差異が見られますね。

★ ***171***　(3) 記載事項

T　為替手形の場合にも，約束手形の場合と同じように，必要的記載事項および任意的記載事項の記載がなされます（⇨★ ***52*** 以下）。任意的記載事項に関しては，若干の例外（振出人の無担保文句や引受に関する記載などがあげられます）を除いて，為替手形と約束手形とで差異がありませんが，必要的記載事項あるいは基本手形については，両者の性質の差異に応じて差異が見られます。まず，M君，為替手形の必要的記載事項について説明して下さい。

M　はい。手形法1条は為替手形の手形要件について規定していますが，そこで要件とされている事項は，①証券の文言中に用いる語で記載する為替手形であることを示す文字（1号），②一定の金額を支払うべき旨の単純な委託（2号），③支払人の名称（3号），④満期日（4号），⑤支払地（5号），⑥支払を受

図22　為替手形用紙見本

（表　面）

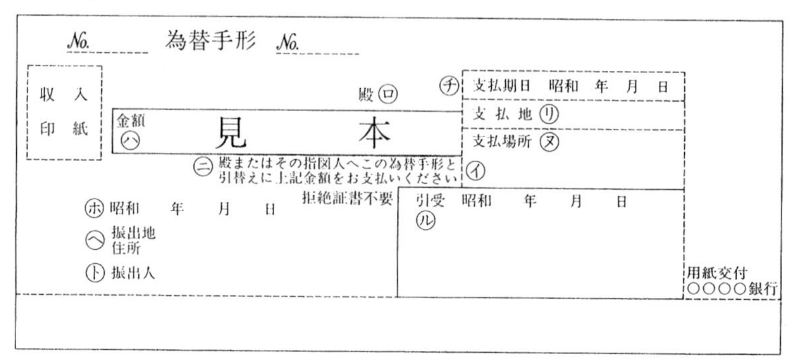
№　為替手形　№

収入
印紙

殿㋺

㋠ 支払期日　昭和　年　月　日

支払地㋷

支払場所㋦

金額
㋩　見　本

㋥ 殿またはその指図人へこの為替手形と
引替えに上記金額をお支払いください ㋑

拒絶証書不要

㋭昭和　年　月　日

㋬ 振出地
住所

㋣ 振出人

引受　昭和　年　月　日
㋸

用紙交付
○○○○銀行

け，またはこれを指図する者——受取人——の名称（6号），⑦振出日（7号），⑧振出地（7号）および⑨振出人の署名（8号）です。

T　N君，これを約束手形の必要的記載事項と比較して下さい。

N　まず，①では「為替手形」であることを示す文字の記載が必要である点で，約束手形の場合と異なります。②では「単純な委託」の記載が必要である点で，約束手形の場合に「単純な約束」の記載が必要であるのと異なります。

T　その点が両者の基本的差異ですね。約束手形が支払約束証券で為替手形が支払委託証券であること（⇨★ ***159***）は，ここにあらわれることになります。

N　続けますと，③の支払人の記載は為替手形に特有のもので，約束手形ではそれは問題になりません。それ以外は約束手形と差異がないのではないでしょうか。

T　そうですね。それでは上に為替手形用紙の見本がありますから，約束手形の見本（⇨59頁）と見くらべながら，①から⑨までの事項をそこで示して下さい。

N　はい。まず，①および②は見本の㋑に該当します。この点は支払委託か支払約束かの違いを除いては，約束手形の場合と同様だと思います。③の支払人の名称がどこに記載されるのか，ちょっとわかりません。

M　㋺がそれに当たります。約束手形の場合にはその場所に受取人が記載されますので，混乱しやすいのですが……。

N　そうすると，受取人はどこに記載されるのですか。

M　それは㊂の部分の「○○殿」というところです。

N　なるほど。約束手形では，そこに「あなたまたはあなたの指図人へ」と記載されていますが，為替手形ではその「あなた」というところに受取人の名称が記載されるのですね。

T　その通りです。

N　あとは約束手形の場合と同じだと思いますが，為替手形では，㋸に引受の欄がありますね。

T　それは，次に引受について取り上げますので，そこで触れることにしましょう。

4　引　受

★*172*　(1)　意 義・方 式

T　為替手形には引受という制度がある点が約束手形と異なる点ですが，これはどのようなものですか。

M　支払人が手形債務を負担する趣旨で手形上に署名をする行為で，それによって引受をした支払人――これを引受人といいます――は，約束手形の振出人と同じ無条件の第1次的義務を負います。

T　それはどのようにしてなされますか。

M　引受は，支払人によってなされる手形行為で，正式には，「引受」その他これと同一の意義を有する文字を表示して支払人が署名をすることによってなされますが，略式には，手形の表面に支払人がたんに署名をすることによってなされます（手25条1項）。

N　先ほどの為替手形の見本では，「引受」の欄があって，そこに支払人が署名をすることによって引受がなされるわけですね。

M　そうです。その場合には，「引受」の記載がありますから，正式引受ということになります。

N　見本には引受の日付の記載欄がありますが，これはどういう意味を持ちますか。

T　その点は，次に引受のための呈示が必要かどうかを取り上げますが，それと関連しますので，そこで触れることにしましょう。

★ *173*　(2) 引受呈示の自由とその例外

㋑ 引受済みの手形

N　為替手形の経済的機能について説明があった際に，支払人は手形所持人から手形の呈示を受けて引受をするということでしたが (⇨★ *161*)，このように引受は手形が呈示されてはじめてなされるものですか。

T　必ずしもそうではなく，支払人が自ら引受をしてから手形を流通におくこともあります。ことに振出人が自分自身を支払人として振り出し――これを自己宛手形といいます――，かつ自ら引受をして受取人に交付するということもあります。

N　振出人が自分を支払人として，かつ自分で引受をするというのは，どういう意味があるのですか。

T　その場合には，振出人が引受人として，第1次的な無条件の義務を負いますから，約束手形と全く同じ機能を果たすことになります。

N　わかりました。そうすると，引受がなされていない手形について，手形所持人による引受のための呈示ということが問題になるのですね。

★ *174*　㋺ 引受呈示の自由

N　そうすると，為替手形の所持人は，手形に引受のなされていないときは，満期までに必ず引受のための呈示をしなければならないのですか。そうでないと支払を受けられないのですか。

T　引受のための呈示をするかどうかは原則として手形所持人の自由です。手形所持人は，満期までに引受のための呈示をしてもよいし，引受のための呈示をしないで，満期に支払人に直接支払のための呈示をしてもよいのです。このことを引受呈示の自由といっています。

★ *175*　㋩ 引受呈示の自由の例外

N　いま引受呈示をするかどうかは原則として自由だといわれましたが，その例外があるのですか。

T　その通りです。それには，引受呈示をしなければならないものと，引受呈示をしてはいけないものとの2種類があります。はじめに引受呈示をしなければならない場合について，M君，説明して下さい。

ⓐ 引受呈示をしなければならない場合

M　引受呈示をしなければならないのは，第1に，①振出人または②裏書人（もっとも，裏書人は，振出人が次に述べる引受呈示の禁止をした場合は，この記載をすることができません）が引受呈示をするように手形上に記載した場合で，この記載は一定の期間を定めて――たとえば，振出後1か月内に呈示をするようにというように――することもできるし，それを定めないですることもできます（手22条1項・4項）。

N　そのような記載があるのに引受の呈示をしなかったときはどうなりますか。

M　そのときは，①振出人がその記載をした場合には全遡求義務者に対する遡求権を失い，②裏書人が記載したときはその裏書人に対する遡求権を失うことになります（手53条2項・3項）。先ほどの続きですが，第2に，一覧後定期払手形の場合には，原則として1年内に引受のための呈示をしなければなりませんが，振出人はその期間を短縮または伸長し，裏書人はその期間（振出人が定めた期間も含みます）を短縮することができます（手23条）。

N　一覧後定期払手形というのはどういうものですか。

M　それは，満期日が特定されていないで，引受のための呈示がなされた時から手形に記載された一定期間経過後が満期になるというものです（手35条）。この場合には，引受のための呈示がなされないと，満期日が決まらないことになりますね。

N　引受の方式のところで問題にしたように（⇨★ ***172***），為替手形の見本には引受の日付欄がありましたが，それは一定の期間内に引受のための呈示をしなければならない場合のためのものでしょうか。

T　その通りです。

N　支払人が引受をすること自体には応じたけれども，引受の日付の記載をすることを拒んだ場合には，どうしたらよいのですか。

T　その場合は，日付拒絶証書を作成させて，遡求権を保全することになります（手25条2項）。

★ *176*　ⓑ　引受呈示が禁止・制限される場合

M　振出人は一定の場合（上記ⓐで触れた一覧後定期払手形もその一例です）を除いて，引受のための呈示を禁止する旨，または一定の期日前の呈示を禁止することができます（手22条2項・3項）。

N　そのような記載に反して呈示がなされた場合には，引受が拒絶されても遡求事由にならないということでしょうね。

T　その通りです。

★ *177*　(3) 不単純引受

N　前に，③引受拒絶による遡求について説明があり（⇨★ ***169***），その際，手形法43条後段1号が引用されましたが，その規定は，「引受の全部または一部の拒絶ありたるとき」とあります。そのときから疑問に思っていたのですが，引受の一部の拒絶というのは，どういうことなのですか。

T　それはいい所に気付きました。それは，一般的には不単純引受の問題になりますので，これを取り上げましょう。

㋑ 意　味

T　不単純引受とはどういうものか説明して下さい。

M　それは，引受をするに当たって，基本手形に記載された内容と異なる記載をして引受をすることです。

N　具体的にはどんなものですか。先ほど質問した一部引受も不単純引受になるのですか。

M　そうです。そのほか，引受に条件をつけたり――たとえば，振出人が資金を提供したら引受の効力が生ずるというもの――，振出人の記載した満期日と異なる満期日を記載して引受をするようなものです。もっとも，基本手形と異なる記載をしても不単純引受にならないものが，手形法27条に定められています。

★ *178*　㋺ 効　果

N　そのような不単純引受がなされた場合の効果はどうなりますか。先ほどあげた手形法43条後段1号には，引受の一部の拒絶についてしか規定されていませんが……。

T　それは一部引受の場合とそれ以外の不単純引受とで違います。M君，説明して下さい。

ⓐ 一部引受の場合

M　一部引受の場合，たとえば手形金額100万円のうち，支払人が70万円について引受をした場合には，その引受があった額70万円については遡求権が発生せず，引受がなされなかった額30万円について遡求権が発生します。

N　その効果はどの条文から導かれますか。手形法43条後段1号からは，引受の全部または一部の拒絶があった場合には遡求権が発生するとしか読めませんが……。

T　それは手形法26条1項但書および同条2項本文から読めるのではないですか。1項但書で一部引受を認め，2項で，その他の変更は引受拒絶になるといっておりますから……。

N　それはわかりましたが，そうすると，一部引受があった場合には，手形所持人は，引受人に対してその引き受けた額について権利を行使し，残額については遡求義務者に遡求しなければならないことになるわけですね。同じ手形によりながら，このようにばらばらに権利を行使しなければならないというのは，手形所持人にとっては煩雑ではないでしょうか。

T　それはもっともな疑問ですね。いま説明した現行法の立場だと，だれの利益になりますか。

N　引受人ですか。

M　いや，引受人は自分の意思で引受をしたのですから，それに応ずる責任を負うだけのことで，特にそのことにより利益になることはないと思います。

T　それでは，逆に質問しましょう。N君が提起した疑問を解決して，手形所持人の煩雑さを解消しようとすれば，立法論としてはどうしたらよいことになりますか。

N　一部引受の場合に，手形所持人は手形金全額について遡求できることにすれば解決されます。

T　そうですね。手形所持人は一部引受を拒んで全額について遡求権を行使することになりますが，その立場によると，現行法の立場と比較して，だれが不利益を受けることになりますか。

M　それは遡求義務者だと思います。現行法の立場では残額についてしか遡求義務を負わされることがないのに対して，その立場では，手形所持人が一部引受を拒めば，手形金全額について責任を負わされるからです。

N　わかりました。現行法の立場は，一部引受の場合に，遡求義務者の立場を保護しているわけですね。それで思い出したのですが，この立法は所持人が一部支払を拒むことができないという手形法39条2項と同じ趣旨ですか（⇨★ ***121***）。

T　その通りです。よく思い出しましたね。なお，その場合に遡求義務を履行した者が再遡求する方法については，手形の一部保証のところで触れました（⇨★ ***146***）。

★ *179*　ⓑ　一部引受以外の不単純引受の場合

M　一部引受以外の不単純引受の場合には，手形法26条2項に規定されているように，手形金額について引受拒絶としての効力が認められますが，引受人はその文句に従って責任を負うことになります。

N　先ほどのご説明でも触れられたことですが（⇨★ ***178***），その規定でいう「記載事項に加えたるその他の変更」の「その他」というのは，1項のどの部分に対する関係での「その他」なのですか。

T　それは1項但書に対する関係です。したがって，一部引受以外の変更を指します。

N　わかりました。そうすると，その変更のなかには先ほどあげられた条件付の引受を含むことになると思いますが，その場合に引受拒絶としての効力を有することになるのは当然として，引受人は，その文句に従って責任を負うことになるのですか。

M　その通りです。

N　そうすると，疑問なのは，いままで，たとえば，約束手形や為替手形の振出に条件を付けた場合に，それは有害的記載事項として，手形の効力自体が否定されるという説明がなされましたが（⇨★ ***52***），それとの関係はどうなりますか。

T　条件付振出は手形自体を無効にするのに対して，条件付引受の場合には，その条件の記載の効力が認められて条件付債務を負うのはおかしいではないかという疑問ですね。その点はどのように考えたらよいでしょうか。

M　その点に関して，すべての手形行為についてすべて一律に考えなければならないものでしょうか。

T　そうですね。振出のような基本手形につき条件を付した場合には手形自体を無効とするにしても，引受のように基本手形以外の事項につき条件を付しても手形自体を無効にするまでもなく，その記載通りの効力を認めるというのが，手形法26条2項の立場だということですね。

M　条件付裏書については，手形法12条1項後段は条件を記載しなかったものとみなしていますから，これは引受ともまた異なる取扱いがなされているわけですね。

N　わかりました。手形行為の種類によってそれぞれ異なる取扱いがなされているのですね。

T　条件付保証については，規定がありませんけれども，条件付引受と同じく，その条件通りの効力を認めてよいと私は解しております（前田293頁)。

★ *180*　(4)　**引受の手形行為としての特殊性**

N　引受がどういうものかはよくわかりましたが，もうひとつ釈然としないのは，その手形行為としての性質についてです。これまで手形行為については，手形債務負担行為と手形権利移転行為との2元的構成で説明してきたわけですが，引受についても同じように考えてよいのでしょうか。

T　それはよいところに気がつきましたが，むずかしい問題ですね。N君のいわんとするところは，引受について，手形債務負担行為のほかに権利移転行為を認める必要があるかということでしょう。

N　そうです。手形権利移転行為が認められるとすると，だれからだれに移転するのかよくわからないものですから……。

M　たとえば，手形理論について交付契約説をとる方も，引受については，交付契約の存在を認めず，単独行為だという説明をされていますから，創造説の立場でも特殊な構成が必要になるのではないでしょうか。

T　私もそう考えます。引受については手形債務負担行為のみが存在し，手形権利移転行為は存在しないと構成すべきでしょう。

N　そうすると，支払人が引受をして手形債務を負担し，それに対応する権利が手形に結合した場合に，その引受人に対する権利はだれが取得することになりますか。振出や裏書の場合には，手形債務を負担した者が自分自身に対する権利を取得し，それが交付によって譲渡されるということですが（⇨★ ***29*** 以下)，引受の場合にはどう考えるのですか。

T　それはその時の手形所持人——手形上の権利者——が取得すると考えることになります。

N　手形所持人が支払人に引受のための呈示をし，支払人が引受をすれば，まだそれがその所持人に返還されなくても引受人に対する権利はその所持人に属することになるのですか。引受人が自分自身に対する権利を取得するという考え方はとらないのですか。

T　そういう考え方をとったら説明がつかない問題が生ずることになりませんか。

M　そのような考え方をとると，振出人や裏書人など，その手形所持人の前者に対する権利はその手形所持人に属し，引受人に対する権利は引受人自身に属するという奇妙な関係が生じますね。

N　なるほど。そのような関係が生じたのでは，手形所持人が引受人に対して手形の返還を求めることができるかという問題も生じてくるから，おかしいですね。

M　ちょっと意地悪な質問になるかもしれませんが，まだだれも手形に署名していない段階で，支払人が引受をした場合——白地引受の場合——には，引受人に対する権利はだれに属しますか。

T　それは引受人自身に属すると解するほかないでしょう。そして，その後にたとえば振出人として署名した者が生じた場合には，振出人が手形上の権利者になりますから，引受人に対する権利もその者に属すると考えます。

M　わかりました。手形保証についても，これと同じように解するのでしょうね。

T　その通りです。手形保証も手形債務負担行為のみからなる手形行為です。まだやっておりませんが，小切手の支払保証も同様です。

★*181*　5　支払人の免責

N　為替手形の支払人は，手形上の責任を負わないとすると，免責の関係はどうなるのでしょうか。

M　手形法40条3項によると，裏書の連続のある手形所持人に支払えば，悪意・重過失なきかぎり免責されますので，約束手形の振出人の場合（⇨★***128***

以下）と同じことになります。

N　その免責の意味がよくわからないのです。約束手形の振出人の場合には手形上の債務を負っていますから，免責というのはその債務が消滅するということになるわけですが，為替手形の支払人の場合には，手形上の債務を負っていませんから，免責といっても，どういう意味になるのかという疑問を感じたのです。

T　それはもっともな疑問ですね。それでは，逆に免責されないとどうなるかをまず考えてみましょう。たとえば，Aが甲を支払人とし，Bを受取人として振り出した為替手形をCが盗取し，甲が悪意でCに支払ったとしましょう。この場合，Bの立場はどうなりますか。

N　甲の支払は無効ですから，Bが甲に対して，自分に支払うように請求できることになるのでしょうか。

M　しかし，手形所持人は支払人に対しては請求権を有していないはずですが……。

N　そうですね。そうすると，Aの手形債務は消滅しないということでしょうか。Bは自分は依然として手形上の権利者ですから，甲から手形を取り戻して，Aに対して手形上の権利を行使できるということになるのではないでしょうか。

T　その通りですが，この場合，甲が悪意・重過失なしにBに支払って免責されるということは，どういう意味になりますか。

N　なるほど，わかりました。甲の支払によって手形債務者Aの債務は消滅するということになります。

M　それと合わせて，甲はその支払の効果をAの計算に帰せしめることができることになるのではないでしょうか。

T　そうですね。両君のいまの意見で，免責の意味がはっきりしましたね。むしろ，いまの両君のいったことは関連しているわけですね。甲の支払が振出人の手形債務の免責の効果を生ずるから，その効果を振出人の計算に帰せしめることができるということができるわけです。

第4章　小切手について

★ *182*　1　支払委託証券──為替手形との比較──

T　次に小切手について取り上げましょう。小切手も支払委託証券──振出人が支払人に支払を委託する証券──であるという点で為替手形と共通します(⇨★ *159*)。それでは，はじめに，どういう点で小切手が為替手形と異なっているか，為替手形との相違点の主なものをあげて下さい。

M　まず第1の相違点は，小切手は一覧払であるということです。満期を記載してもその記載の効力が認められず，一覧払とされます（小28条1項)。

N　一覧払というのは，振出を受けたらいつでも，支払のための呈示をしてもよいということですか。

M　呈示期間──原則として振出の日付から10日です（小29条1項）──内ならその通りです。それで支払が拒絶されたら，振出人等に対する遡求権を行使することができます。第2の相違点は，支払人が銀行に限定されていることです。第3の相違点は受取人の記載が要件ではなく，持参人払式のものが認められることです（小5条)。第4には，線引小切手制度が認められていることです(小37条・38条)。

T　その辺でよいでしょう。次に，このような特色から，小切手がどのような経済的機能を果すかを検討しましょう。

★ *183*　2　小切手の経済的機能──支払の手段──

N　小切手は，個人が日常一般に使うこともあるようですが，支払の手段として使われるのではないでしょうか。

T　その通りです。そのことと，先ほどM君があげた小切手の特色とを関連づけて下さい。

N　それは一覧払性にあると思います。小切手を受け取った者がすぐにも支払人に支払のための呈示をすることができることから，現金で支払う代わりの機能を果すことができることになります。

M　N君のいう通りですが，支払人が銀行という信用のあるものに限定されているということも，振出人が銀行に小切手の支払資金をおいておきさえすれば，間違いなく支払われるという点で，小切手が支払の手段として利用されるのに適しているといえると思います。

T　諸君のいう通りです。M君が触れた支払資金の関係は，また後に取り上げることにしましょう（⇨★ *188*）。小切手に関する規定は現金の代用物として利用されやすいように定められているということができるでしょう。

N　経済的な機能としては，約束手形と類似していますね。約束手形も支払の手段として利用されるものですから……。

M　いずれも同じく支払の手段として利用されるものですが，異なるのは，約束手形の場合には，満期日の記載が認められますから，期限付債務の支払手段として利用されるのに対して，小切手の場合には，一覧払ですから，そのようなものには利用されず，即時払債務の支払手段として利用されます。

N　先ほど現金支払に代わる手段だということでしたが，振出人が支払人のところに支払資金をおかなかったときは支払は拒絶されるでしょうから，それには限度があるでしょうね。

T　それはもちろんです。ただ，振出人がそのように支払資金もおかないで小切手を振り出して，支払拒絶――これを「不渡」といいます――になれば，銀行取引停止処分というきびしい制裁が課せられますから，そんなにやすやすと不渡にはできないのです。

N　小切手の振出人は現金で支払う手間や危険を省くことができ，所持人にとって銀行を通じて簡便に取り立てることができるという点は，約束手形の場合と同じでしょうね（⇨★ *44* 以下）。

T　その通りです。

3　振　　出

★ *184*　(1)　支払委託――その取消，振出人の死亡・無能力――

T　それでは振出についてみてみましょう。それが支払委託であり，したがって，支払人に対する支払権限および所持人に対する受領権限の授与という効果が生ずることは，為替手形の場合と同様です（⇨★ *164* 以下）。支払人の支払権限は呈示期間経過後でも，支払委託の取消がないかぎり消滅しません（小32

条2項)。また，小切手法では，支払委託の取消や振出人の死亡・無能力について規定しております。はじめに支払委託の取消を取り上げましょう。

★ *185*　㋑　支払委託の取消

ⓐ　支払委託の取消の意義・効力——為替手形の場合との比較——

T　小切手法32条1項は，支払委託の取消は呈示期間経過後においてのみその効力を有すると規定しております。これについて説明して下さい。

M　その趣旨については，説明の仕方が分かれております。そのひとつは，小切手の支払を確保して所持人の利益をできるだけ確保しようとしたものであるという，所持人の利益という立場から説明するものです。

N　所持人の利益といっても，支払人は，為替手形の支払人と同じように(⇨★ ***159***)，所持人に対しては支払義務を負わないのですから，所持人には支払人から支払を受ける法律上の利益はないのではないでしょうか。

M　いまのN君のいったことを根拠として，この規定の趣旨について，もうひとつの説明の仕方があります。それによると，この規定は，呈示期間内は支払人が支払委託の取消の有無を調査することなく支払うことができる——支払委託の取消がなされた後に支払ってもその効果を振出人の計算に帰せしめることができる——という意味で，支払人を保護するためのものと考えます。

N　第1の考え方は所持人の利益を保護するための規定と考え，第2の考え方は支払人の利益を保護するための規定と考えるわけですね。私は先ほど述べた第1の考え方に対する疑問からみて，第2の考え方に魅力を感じますが，この点について結論を出す前に，質問したいのは，支払委託というのは，支払人に対する支払権限の授与と受取人に対する受領権限の授与との2つの側面があるということを論じましたが(⇨★ ***164***以下)，支払委託の取消はそのうちのどちらを取り消すのですか。両方ですか。

T　そこがポイントですね。

M　前に論じたように，受領権限は手形に結合してその交付によって移転するものであり，支払権限は振出人と支払人との関係だということですが(⇨★ ***165, 168***)，支払委託の取消は，振出人が支払人に対してするものですから，当然，支払権限の授与の取消の効果を生ずるだけで，受領権限の授与には影響ありません。

N　わかりました。受領権限は手形に結合して移転する以上，手形を取り戻さないで，その授与を取り消すことはできないはずですから，Mさんの説明されたように考えないと，つじつまが合いませんね。そうすると，支払委託の取消は，小切手所持人の受領権限には影響がないということになりますね。

M　その通りです。支払委託の取消後でも，支払を受ければそれを保持することができるということには変わりないことになります。

N　そうすると，支払委託の取消の効力を制限する小切手法32条1項が小切手所持人の保護のための規定だという考え方は，そもそも成り立たないのではないでしょうか。かりに支払委託の取消が効力を生じても所持人の受領権限には影響を及ぼさないということは，それによって不利益を受けることはないのですから……。

T　N君のいう通りですね。結局，第2の考え方で説明すべきでしょうね。ところで，どちらの考え方をとるかで結果的にはどのような差異が生じますか。

M　その点に触れるのを忘れていましたが，第1の考え方によると，小切手所持人保護のための強行規定だと解するのに対して，第2の考え方によると，任意法規だと解し，振出人と支払人が合意すれば呈示期間内でも支払委託取消の効力を生じさせることができる――支払人が支払っても当然には支払の効果を振出人の計算に帰せしめることはできない――と解します。

N　前にいったことのくり返しになるかもしれませんが，強行規定と解したところで，支払人は所持人に支払を拒絶しても所持人に対して責任を負わないのですから，意味がありませんね。やはり，この点からも，第1の考え方は説明がつかないのではないでしょうか。

M　実際にも，支払人は，呈示期間内でも，支払委託の取消があれば，支払わないといわれています。

T　その通りですね。

N　為替手形についても，支払委託の取消ということがありうると思いますが，それについての制限はあるのでしょうか。

T　それについては制限はありません。支払権限の授与は，先ほどM君が説明したように，振出人と支払人との関係ですから，本来はその取消も自由にできるはずのところを，小切手についてだけは特に小切手法32条1項で制限していることになります。

N　どうして小切手についてだけ，そのような制限をしたのですか。

T　小切手の場合には，振出人がひんぱんに小切手を振り出す可能性があり，それについて支払人がいちいち支払委託の取消があるかどうかを調べてからでないと支払えないというのでは煩雑なので，少なくとも呈示期間内に呈示されたものについては，それを調べないで支払うことができるようにしたと説明することになります。

★ *186*　ⓑ 支払委託取消の方法

N　支払委託の取消は，どのようにしてするのですか。支払委託は為替手形の場合(⇨★ *168*) と同じように，小切手の記載を通じて振出人から支払人になされることになると思いますが，支払委託の取消はそのようにはいかないでしょうから……。

M　それは，振出人から直接に支払人に対して意思表示をすることによってなされます。

N　そうすると，その方法には特別に制限はなく，口頭でもよいわけですね。

T　どんな方法でもよいといっても，支払人がそれに応じて支払を差し止められるような時期に，また振出人からの取消であることや，どの小切手についてのものか等が明確になるような方法でなされる必要があります。実務上，支払人たる銀行は支払委託の取消には書面の提出を要求しています。

★ *187*　㋺ 振出人の死亡・能力喪失

T　小切手法33条は，振出人の死亡または能力喪失は小切手の効力に影響を及ぼさない旨を規定しております。この規定はどういう意味ですか。

M　それも支払人の支払権限に関するものでしょうね。受領権限については，小切手を回収しない以上，振出人の死亡，または能力喪失によって影響がないのは当然ですから……。

N　為替手形の支払権限についてはどうなりますか。

T　その点については規定がありませんから，解釈によることになります。これを類推適用して支払権限は消滅しないと解するか，反対解釈をして，支払権限は消滅すると解するかですが……。

M　その点に関して参考になるのは，委任——支払委託も委任の一種だと思いますが――が死亡によって終了するかどうかについて，民法653条は終了すると規定しているのに対して，商法506条は，商行為の委任による代理権が消滅しないと規定していることです。

N　そうすると，振出人死亡の場合に為替手形の支払権限授与の効力が消滅するかどうかは，民法的に取り扱うか商法的に取り扱うかということになりますね。

M　そういうことです。やはり商法的に取り扱って，能力喪失も含めて小切手法32条2項の類推適用を認めるべきではないでしょうか。

T　私もそう解します。ただ，これも，さっきN君が指摘したように，振出人と支払人との人的関係ですから，この点について当事者間の合意があればそれに従うことになります。

★ ***188***　(2)　**資金関係**――小切手法3条――

T　小切手法3条について，説明して下さい。

M　3条は，小切手を振り出す場合に，支払人について，次の2つの要件が充たされていることを要求しております。振出人は，①自分で処分できる資金のある銀行を支払人としなければならないこと，および②その資金を小切手で処分できるという支払人との間の明示または黙示の契約に従って振り出すことです。

N　実際には，それらの点はどのようになっていますか。

M　小切手を振り出そうとする者は，支払人となる銀行店舗との間で当座勘定取引契約を結び，そこに当座預金をします。この当座預金が①の資金に当たり，当座勘定取引契約が②の残資金を小切手で処分できるという支払人との間の契約になります。その間の法律関係を規制するために，当座勘定規則が設けられています。

N　前に約束手形の機能について説明があった際に，振出人は通常自分が当座勘定取引をしている銀行店舗を支払場所として振り出すという説明がありましたが (⇨★ ***44, 53***)，これと小切手の振出との関係はどうなりますか。

M　当座勘定取引契約は，小切手法3条にいう契約に当たるだけでなく，約束手形の振出人がその契約の一方の当事者である銀行店舗を支払場所として振り出した約束手形についてもその銀行店舗が支払に応ずるという内容の契約になり，当座預金はその両方の資金となります。

N　小切手法3条に違反して小切手を振り出した場合の効果は，どうなりますか。

M　小切手法上は，その小切手の私法上の効力がどうなるかということと，罰則の制裁との2面が問題になります。小切手の私法上の効力には影響がありません（小3条但書）。罰則の制裁として，5,000円以下の過料に処せられます（小71条）。

N　小切手の私法上の効力に影響がないということはどういうことですか。振出人と支払人との間に，小切手法3条が要求しているような資金関係がなければ，結局，支払人は小切手を支払わないことになると思いますが……。

M　その場合には，振出人が遡求義務を負うということです。小切手としての効力が生じなければ，振出人の責任も発生しないはずですが，資金関係がなくても，振出人の小切手上の責任は免れないというのが，小切手の効力に影響がないという趣旨です。

N　わかりました。為替手形のところでも触れられましたが（⇨★ ***166***），小切手の効力も原因関係の影響を受けないだけでなく，資金関係の影響も受けないということですね。

T　その通りです。

M　このほかに，小切手が不渡になった場合の手形交換規則上の制裁として，前に触れたような内容の銀行取引停止処分（⇨★ ***46***）を受けます。

N　それが有効な制裁でしょうね。

★ *189*　(3) **振出人の責任**――その性質，遡求事由，無担保文句の記載の可否等――

T　いま振出人の責任が問題になりましたので，ここでこれについてまとめておきましょう。それはどういう性質のものですか。

N　小切手の振出人は，為替手形の振出人の場合と同様に（⇨★ ***159, 169***），支払委託者であって，支払約束をした者ではありませんから，遡求義務者になるのでしょうね。

T　その通りです。

M　しかし，遡求事由については，為替手形の場合とは大分様子が違います。

第1に，小切手には引受という制度がありませんので，引受拒絶による遡求ということは問題になりません。第2に，小切手は一覧払であって，満期というものがありませんから，満期前遡求ということが問題になりません。

N　支払拒絶による遡求という事由しか問題にならないということですね(小39条)。もちろん呈示期間内に呈示することが遡求権保全の要件でしょうね。

M　その通りです。遡求事由については，以上の通りですが，遡求に関して，もうひとつ，これは為替手形とだけでなく約束手形とも異なる点ですが，支払拒絶の証明手段として，支払拒絶証書（小39条1号。⇨★ ***135***）のほかに，支払人または手形交換所のした支払拒絶宣言でもよく（小39条2号・3号），これも支払拒絶証書と同一の効力を有するということです。

N　公証人または執行官によって作成される公正証書だけでなく，支払人または手形交換所が支払拒絶があった旨の記載をしたものでもよいということですね。もちろん，支払拒絶証書またはそれと同一の効力を有するこれらの宣言の作成免除は認められるのでしょうね。

M　その通りです(小42条)。もっとも，実務上，小切手については，どういう理由か支払拒絶証書等の作成免除はなされておらず，支払人の拒絶宣言により支払拒絶の事実の立証がなされております。

N　小切手の振出人については，引受無担保ということは問題にならないでしょうが，支払無担保文句の記載は許されるのですか。

M　それは，記載しても記載しなかったものとみなされます(小12条)。その趣旨は為替手形の場合と同じです（⇨★ ***170***）。

★ ***190***　(4)　記 載 事 項

T　小切手の記載事項を取り上げましょう。これまで小切手について論じてきたところから，その記載事項に関する，約束手形および為替手形との比較も，基本的な点については可能だと思います。N君，その点についてトライしてみて下さい。

N　まず，小切手は支払委託証券ですから，支払委託文句が記載される点で，約束手形と異なり，為替手形と同じです。それから，小切手では，冒頭に為替手形との比較のところであげられたように（⇨★ ***182***），持参人払式のものが認められますから，受取人の記載がなされないことがある点，および満期が認め

図23　小切手見本

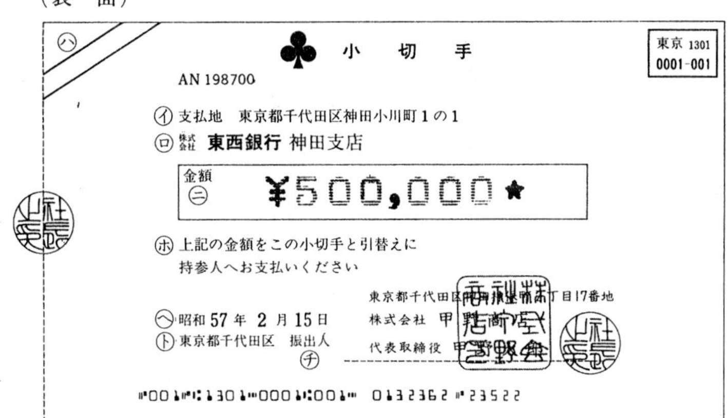
㋩

小　切　手

東京 1301
0001-001

AN 198700

㋑ 支払地　東京都千代田区神田小川町1の1

㋺ 株式会社 東西銀行 神田支店

金額
㊁ ¥500,000★

㋭ 上記の金額をこの小切手と引替えに
持参人へお支払いください

㋬ 昭和 57 年 2 月 15 日
㋣ 東京都千代田区　振出人
㋠

東京都千代田区　丁目17番地
株式会社　甲
代表取締役　甲

⑈001⑈⑆1301⑈000⑆001⑈　0132362⑈23522

られませんから，その記載がない点で，約束手形や為替手形と異なります。

T　その通りですね。それでは例により上掲の小切手の見本と，小切手の必要的記載事項（小1条）とを対応させて下さい。

M　小切手の必要的記載事項としては，①証券の文言中にその証券の作成に用いる語をもって記載する小切手であることを示す文字（1号），②一定の金額を支払うべき旨の単純なる委託（2号），③支払をなすべき者（支払人）の名称（3号），④支払をなすべき地の表示（4号），⑤振出日の表示（5号），⑥振出地の表示（5号）および⑦振出人の署名（6号）があげられます。

N　これを見本に対応させますと，①は㋭の文中の「この小切手と引替えに」の「小切手」という記載がこれに当たります。②は㊁の金額と㋭の「上記の金額を……お支払いください」という記載がこれに当たります。③は㋺で記載されます。④は㋑に当たります。⑤，⑥および⑦はそれぞれ㋬，㋣および㋠に当たります。

T　そういうことですね。この小切手には受取人の記載がありませんね。

M　それは㋭のなかに，「持参人へお支払いください」と記載されているところから，持参人払式となります。

T　その通りです。実際に利用されている小切手は，このように持参人払式が多いようです。

N　見本の左肩の２本の平行の斜線（㋑）はなんですか。

T　それは線引小切手であることを示すものですが，それについてはまた後で取り上げます（⇨★ *197* 以下）。

★ *191*　4　持参人払式小切手の流通，免責等

N　手形の場合には，裏書によって権利が譲渡され，裏書の連続のある手形所持人は権利者と推定されるという効果が生じましたが（⇨★ *76* 以下），持参人払式小切手の場合にはどうなるのでしょうか。

M　その場合には，その交付によって権利が譲渡され，したがってまた，小切手のたんなる占有者が権利者と推定されます。

N　それはどの規定によるのですか。

T　実は，その点については規定がないのです。したがって，それは一般原則によるとしかいいようがありません。強いてあげれば，民法86条3項で，無記名債権は動産とみなすと規定されていますから，これによるとも考えられますが，動産とすると引渡が対抗要件にすぎなくなり（民178条），それでは具合が悪く，交付が効力要件であると解すべきですので，一般原則によるというほかないわけです。

N　そうすると，たんなる交付によって譲渡される以上，小切手の占有者は，交付によって権利を譲り受けた者すなわち権利者と推定されるということになりますね。

T　その通りです。結果的には持参人払式小切手は，最後の裏書が白地式の指図式小切手（受取人の記載があって裏書によって譲渡されるもの）に類似することになります。それも，たんなる交付によって譲渡できますし（小17条2項3号。手14条2項3号も同様），その占有者が権利者と推定されますから（小19条2文。手16条1項2文も同様）……。

N　その点はよくわかりました。善意取得の関係はどうなりますか。

M　その点については規定があります。小切手法21条で，悪意・重過失なく小切手を取得した者は，善意取得します。

N　小切手の占有者は権利者の推定を受けるから，その者からの悪意・重過失のない取得者は善意取得の保護を受けるということですね。

T　そうです。逆にいえば，小切手法 21 条のいまM君が引用された部分は，小切手の占有者が権利者と推定されることが前提になっているといえるでしょう。

N　わかりました。そうすると，支払人の免責の関係も同様でしょうね。悪意・重過失なく，持参人払式小切手の占有者に支払えば，免責されるという効果が生ずるのでしょうね。

T　実は，その点については，小切手法 35 条では指図式小切手について裏書の連続の整否を調査する義務を規定していますが，持参人払式小切手については規定がないのです。解釈上，N君のいう通りのことが認められています。

M　持参人払式小切手については，もうひとつ，それに裏書をした者は遡求に関する規定に従って責任を負うという規定があります（小 20 条本文)。

N　裏書がなされると，その後は裏書によって譲渡されることになるのですか。

T　いや，振出人が持参人払式で振り出した小切手が，裏書されることによって指図式小切手に変わるものではありません（小 20 条但書)。

N　その裏書は担保責任を負う点で意味を持ち，権利移転の面では無視されるということですね。

★ *192*　　5　呈示および先日付小切手

T　小切手が一覧払であることは前に小切手の特色として，あるいはその経済的機能の説明のなかで論じましたが（⇨★ ***182*, *183***)，それとの関係で，小切手の呈示について説明して下さい。

(1)　呈 示 期 間

M　小切手は一覧払ですから，小切手所持人はいつでも呈示できますが，小切手法 29 条により呈示期間が定められております。それは振出国と支払国との関係で区別がありますが，国内で支払われる小切手の呈示期間は 10 日内とされています（小 29 条 1 項)。

N　それはもちろん振り出された日からでしょうね。

★ *193*　　(2)　先日付小切手

T　そこが問題なのですね。実際に振り出された日と小切手に振出日として記載された日とが同じである場合には問題がありませんが（その場合にも，起算日が，振出日かその翌日かという問題はあります。⇨★ ***195***），それが食い違う場合に，どちらが基準になるかという問題があります。

M　それが主として問題になるのは，いわゆる先日付（さきひづけ）小切手に関してです。先日付小切手というのは，実際の振出日より将来の日が振出日として記載された小切手，たとえば1月20日に振り出されたのに，振出の日付を2月10日と記載された小切手のようなものをいいます。

N　なるほど。その場合に，実際に振り出された日を基準として10日間の呈示期間を計算すると，小切手に記載された振出の日付より前に期間が経過してしまいますね。

T　そうすると，どちらを基準にすべきだと考えますか。

N　それも文言証券性の問題ではないでしょうか（⇨★ ***15, 33***）。小切手上の権利の内容は小切手の記載によって決められるべきですから，振出の日付が基準になると思います。そうでないと，振出の日付後10日以内に小切手を取得した者が思いがけない不利益を蒙りますから……。

T　その通りですね。この点は動かせないところですね。しかし，それだけでは問題は片付きませんね。まだ，問題は残っていますよ。

M　実際に振り出された日から振出の日付までの間の呈示をどのように取り扱うかということです。

N　なるほど。その間は呈示の効力がないとすると，小切手の一覧払性に反することになりますね。

M　そうです。しかし，その間の呈示の効力を認めると，呈示期間は，実際に振り出された日から振出日付までの分が振出日付から10日間にプラスされることになります。

T　そういうことになりますね。そこで問題は，一覧払性を貫徹して呈示期間10日間というのは貫徹されなくてもやむをえないものとするか，それともその逆のものとするかということになるわけです。

M　小切手法28条2項は，その前者の立場をとっております。

N　その規定の「呈示の日において支払うべきものとする」というのはどういう意味ですか。支払人ははじめから所持人に対しては支払義務を負っていないのですが……。

T　たしかにそれはわかりにくい表現かもしれませんね。結局，その表現は，その呈示に対して支払人が支払を拒絶したときは，支払拒絶による遡求権を行使することができることを意味します。

★*194*　(3)　後日付小切手

N　おかしな質問かもしれませんが，先日付小切手と逆のものも考えられますね。振出日付より後に振り出された小切手……。

M　それは後日付（あとひづけ）小切手といわれるもので，その場合は，呈示期間が短くなるだけです。

★*195*　(4)　起 算 日

N　もうひとつ質問させて下さい。呈示期間の計算は振出日付が基準となりますが，その起算日は，その振出の日付として記載された日からですか，その翌日からですか。先ほど先生がちょっと触れられた点だと思いますが……。

T　N君の疑問はもっともですね。小切手法29条4項の表現からだと，どのように解されますか。

N　それによると，振出日付として記載された日から起算されることになりますが，期間の計算の場合は通常は初日は算入しないのではないかと思いますので（民140条），疑問に感じたのです。

M　N君の疑問はもっともで，小切手法61条では，初日は算入しないと規定しておりますので，この場合も呈示期間の日付として記載された日の翌日から10日間ということになります。

N　そうすると，29条4項は無視することになりますか。

T　その規定は，呈示期間の算定の基準日になるのは，実際に振り出された日からではなくて，小切手に振出日として記載された日からであるという，当然のことを確認的に定めたものだと解すべきでしょう。

★*196*　(5)　呈示期間経過後の呈示

N　小切手所持人が呈示期間経過後に呈示した場合には，どうなるのでしょうか。いっさい，支払を受けられないのでしょうか。

M　その点については，小切手法32条2項に規定があり，振出人から支払委託の取消がないときは，支払人は期間経過後でも支払うことができます。

N　支払うことができるということは，振出人から授与された支払権限が消滅しないということでしょうね。そうだとすると，支払人が支払うかどうかは小切手所持人に対する関係では自由なはずですから，支払が拒絶された場合に，小切手所持人はどのような手段がとれるのでしょうか。

M　呈示期間経過後の呈示に対して支払が拒絶されても，遡求権は保全できませんし（⇨★ ***189***），振出人は銀行取引停止処分も受けません。

T　その場合は原因関係上利得を得た者——通常は振出人ですが——に対して，利得償還請求権を行使することになります（⇨★ ***152*** 以下）。

★ *197*　6　線引小切手

T　前に，小切手の見本からN君が見付けた2本の斜線（⇨★ ***190***）——線引は小切手の表面に2本の平行線を引いてなされます——の付された小切手（線引小切手あるいは横線小切手）について取り上げましょう（小37条・38条）。

(1)　線引制度の目的

N　その線引はどういう目的でするものですか。

M　不正の所持人が支払を受けることを阻止するためです。

N　不正の所持人とは盗取者とか拾得者等のことですか。

M　その通りです。

N　不正の所持人が支払を受けられないようにすることは，手形の場合も同様だと思いますが，どうして，小切手の場合にだけ，この制度があるのですか。

T　その疑問はもっともですが，一般には，小切手には持参人払式のものが認められていて，不正の所持人が小切手を取得しやすいので，とくに小切手についてだけ，この制度が認められたのだと説明されています。結局，イギリスで小切手に認められている制度が採用されたということでしょう。

★ *198*　(2)　仕　組

N　小切手の表面に2本の平行線を引いただけで，どうして不正の所持人が支払を受けることを阻止できるのですか。

T　それは線引制度の仕組の問題ですね。線引小切手は一般線引と特別線引に分かれますが（小37条2項・3項・38条1項・2項），一般に使われるのは一般線引小切手ですので，それに限定して，その仕組を説明して下さい。

㋑ 支払人の支払先の限定

M　第1に，線引小切手の場合には，支払人は，銀行に対してか，または支払人の取引先に対してでなければ，小切手を支払うことができなくなります(小38条1項)。

N　支払先を銀行と支払人の取引先に限定すると，どうして不正の所持人が支払を受けることを阻止できるのですか。

M　銀行が不正の所持人ということは通常考えられませんが，銀行についてはもちろんですが，支払人の取引先についても，支払人としては，「どこそこのだれそれ」ということを知っていますので，かりにその者が不正の所持人であったとしてもすぐに捕捉されてしまいますから，結局，不正の所持人が支払を受けることを阻止できることになります。

N　銀行の取引先といっても，大勢いますから，銀行はいちいち，取引先が「どこのだれ」ということを知っているとは限らないと思いますが……。

M　それは「取引先」というものをどのように解するかということだと思います。銀行に預金口座を持っている人はすべてここでいう「取引先」に当たるのではなく，少なくとも，支払人が銀行取引を通じてその身元（「どこそこのだれそれ」ということ）がわかっている人でなければならないと解されています。

N　「少なくとも」というのは，どういう意味ですか。

M　さらにそれだけではなく，その小切手金額に見合うだけの信用のある者でなければ，取引先に当たらないという考え方もあります。

N　そこまでいけば，徹底しますね。

★*199*　㋺ 銀行の受入先の限定

M　以上のように支払人の支払先を限定しても，銀行が線引小切手をだれからでも受け入れたのでは，銀行を通じて身元のわからない不正の所持人が支払を受ける可能性があります。そこで，小切手法は，銀行が小切手を受け入れる先も制限して，自分の取引先または他の銀行からでなくては線引小切手を受け入れてはならないとしています(小38条3項)。

N　銀行が線引小切手を受け入れるというのは，どういうことですか。

M　銀行が線引小切手を取得するか，その取立委任を受けることです。

N　わかりました。先ほど説明があったように，銀行は支払人から線引小切手の支払を受けられるから，身元のわからない不正の所持人がそのことを利用して，銀行に線引小切手を譲渡し，または取立委任をして，その銀行を通じて線引小切手の金額を取得することを阻止するということですね。

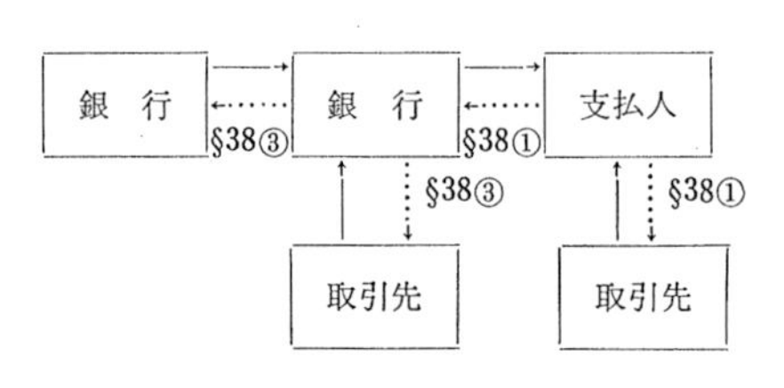

図 24　小切手の動き

T　その通りです。この線引小切手の仕組を㋑の問題を含めて，図で示してみて下さい。

N　図 24 のようになるのではないでしょうか。実線は小切手の動き，点線は金銭の動きを示します。

T　その通りです。

★*200*　(3)　線引違反の効果

N　支払人が線引小切手を取引先以外の者に支払ったり，銀行がそれを取引先以外の者から受け入れた場合には，どのような効果が生ずるのですか。

M　その場合は，支払人または銀行は，小切手金額を限度として，損害賠償責任を負います。

N　小切手を盗まれたり，落としたりした者が，線引制度に違反して不正の所持人に支払をした支払人または不正の所持人から受け入れた銀行に対して，損害賠償の請求をすることができるということですね。そうすると，たとえば支払人が不正の所持人でない者に支払っても，損害は生じませんから，責任もないということですね。

T　その通りです。

★*201*　(4)　線引の効力の排除

㋑　効力を排除する必要がある場合

N　結局，銀行の取引先以外の者は線引小切手を受け取ってもそれを現金にすることができず，また支払人の取引先でない者は，直接に支払人から支払ってもらうことができず，自分の取引銀行を通じて支払を受けるしかないということですね。しかし，現在は銀行と取引のない人が線引小切手を取得するということは考えられませんから，それで不都合はないでしょうね。

T　必ずしも，そのようにはいきませんよ。いま，N君は，支払人の取引先でない者は，自分の取引銀行を通じて支払を受けるしかないといいましたが，そのこととの関係で，線引の効力を排除する必要が生ずることがあります。取引銀行を通じて支払を受ける場合には，現金を取得できるのは，取引銀行に取立を委任してから，どのくらいかかりますか。

N　それは，前にも手形についてやりましたが（⇨★ ***45*** 以下），手形交換所を通じて支払銀行に呈示されますから，小切手が手形交換所に呈示された日の翌日の午前11時以降ということですね。

M　小切手が手形交換所に呈示されるのは，取立委任を受けた日の翌日ですから，結局，取立委任を受けた日の翌々日の昼ごろ，現金を取得できることになります。

N　わかりました。線引小切手を受け取った者が，それをすぐに支払ってもらいたいと思えば，直接に支払人に呈示して支払を受ける必要がありますから，線引の効力を排除したいということですね。

★ *202*　㋺　線引の効力の排除の制限

T　その通りです。ところが，線引の効力の排除は，そうやすやすとは認められません。

M　その排除を認めると，線引小切手の不正の所持人がその線引の効力を排除して支払人から支払を受けてしまうからです。そこで，小切手法37条5項は，線引が抹消されても，その抹消はなされなかったものとみなす旨の規定を設けています。

N　たしかに，そのようにしないと，線引制度を設けた意味がありませんね。

★ *203*　㋩　特約による線引の効力の排除——裏印の慣行——

T　このように，一方で線引の効力を排除したいという要請があり，他方で，線引を抹消しても線引の効力を排除する効果がないということから，線引の効力を特約で排除するということが行われております。これがどのようにしてなされるか，知っていますか。

M　通常は振出人が小切手の裏面に振出に用いたと同じ印鑑を押捺して行います。

N　振出人が小切手の裏面に振出に用いた印鑑を押捺することによって，線引の効力を排除する特約になるのですか。それはだれとだれとの特約になりますか。

T　それは，慣行上，振出人と支払人との間の線引の効力を排除する特約と認められています。

N　先ほど論じたように，線引の効力を容易に排除できることにすると，線引制度を設けた意味がなくなってしまいますが，そのような線引の効力を排除する特約を無条件に認めてよいのでしょうか。

T　もっともな意見です。この点については最高裁判決がありますが，M君，知っていますか。

M　それは，昭和29年10月29日判決（裁判所時報171号169頁）です。それによると，「当事者間において一般線引の効力を排除する旨の合意……を以て，当事者間のみにおいて線引の効力を排除することはなんらこれを禁ずべき必要はない」と判示しています。

N　当事者間でのみ，線引排除の効力を認めるということですね。そうすると，先ほどの裏印による特約の場合には，振出人と支払人との間でしか効力がないということですね。

M　その通りです。

N　そうすると，振出人が盗まれたり，落としたりした場合には特約の効力が認められるけれども，振出人以外の者がそのような目にあった場合には，その効力は認められないということですね。

図25

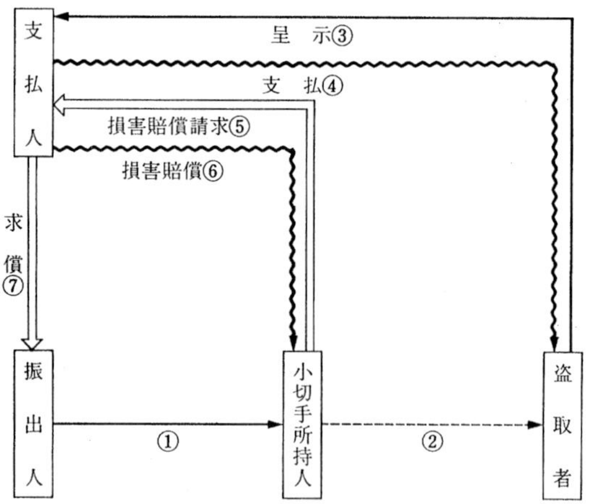

M　そうです。したがって，支払人は，振出人に対しては線引制度違反による損害賠償責任を負わないが，それ以外の者，小切手所持人が盗まれたり落としたりして，損害を蒙った場合，には損害

賠償責任を負うことになります。

N　しかし，支払人としては，裏印のある線引小切手が呈示されたら，線引の効力が排除されたものとして，取引先以外の者にも支払ってしまうことになるのではないでしょうか。その場合に，支払を受けた者が，たまたま振出人から盗んだ者であったときは責任を負わないでいい，それ以外の者から盗んだ者であったときは責任を負わされるというのでは，支払人としてはたまったものではないですね。

T　N君の指摘はもっともです。したがって，支払人が振出人との間でそのような特約を結んだ場合に，振出人以外の者に対して損害賠償責任を負わされたときは，支払人としては，その分を振出人に求償できるようにしなければつじつまが合いません。当座勘定規定では，その旨の規定が設けられております。この関係は図25のようになります（①，②……は時間的順序）。

★*204*　7　引受の禁止，支払保証，自己宛小切手

N　小切手の場合は，為替手形の場合と異なり，引受という制度は認められないということでしたが，どうしてそのような区別がなされているのですか。

T　その点は，次のように説明されています。小切手の場合は，一覧払ですし，また，支払人は銀行です。このように持参人払式小切手で，しかし銀行が引受人として第1次的な無条件の債務を負うとなると，それはちょうど通貨と同じように流通して，国の通貨政策を乱すおそれがあるということです。

N　その点はわかりました。そうすると，支払人はいっさい小切手上の債務を負わないことになりますか。

M　支払人が支払保証をした場合と，自己宛小切手の場合に，振出人が小切手上の責任を負います。

T　はじめに，支払保証について説明して下さい。支払保証は実際にはほとんど利用されませんから，簡単で結構です。

M　それは，支払人が小切手の表面に「支払保証」その他支払を示す文字を表示し，日付を付して署名することによってなされます（小53条2項）。

N　それは引受とどこが違うのですか。

M　その責任は，遡求義務者のそれと同様で，呈示期間内に呈示された場合

にのみ，また拒絶証書等の作成を条件として生じます(小55条)。その点で引受と異なります。

T　自己宛小切手とはどういうものですか。

M　それは預手ともいわれますが，振出人と支払人とが同一人であるものをいいます。この小切手の場合には，振出人兼支払人は，支払人としては小切手上の責任を負いませんが，振出人として遡求義務を負うことになります。

T　そういうものですね。自己宛小切手は，実際上もしばしば利用されています。たとえば，多額の支払をしなければならない場合に，現金を持ち運ぶのは危険ですので，銀行に赴いて資金を払い込んで，自己宛小切手を振り出してもらい，それを支払のために交付するというようなことが行われます。

N　支払保証がほとんど利用されず，自己宛小切手がしばしば利用されるのはなぜですか。

T　銀行としては，他人が振り出した小切手に署名して小切手上の責任を負うよりも，自分で自分宛に小切手を振り出して小切手上の責任を負う方が，資金回収や変造の危険の防止等の点から，安心だということです。

N　わかりました。私も自己宛小切手を利用してみます。

第5章　その他の有価証券

T　これまで，まず，有価証券全般について論じ，そこでは，手形・小切手のほかに，株券や社債，貨物引換証，船荷証券，倉庫証券などに言及しました。次に，約束手形，為替手形および小切手について，相当突っ込んだ議論をしてきました。そこで，これからは，これまで取り上げなかった有価証券について簡単に議論しておきましょう。

1　新株引受権証書

★*205*　(1)　意義，その発行

T　はじめに新株引受権証書を取り上げましょう。それはどういうものですか。

M　それは，新株引受権を表章した有価証券です。

N　新株引受権というのは，会社が新株を発行する際に，既存の株主にその持株数に応じて新株を引き受ける権利を与えた場合のその権利をいうわけですね。

T　新株引受権自体は，既存の株主にその持株数に応じて与えられるだけでなく，それ以外の者に対しても与えられます——一部の株主に与えられる場合を含みます——が，それを新株引受権証書に結合して有価証券とするという場合には，株主に与えられた新株引受権に限定して考えるのが普通です。

N　どうしてでしょうか。同じ新株引受権なのに，株主にその持株数に応じて与えられた場合とそれ以外の場合とで，それを有価証券化するについて差異があるのですか。

T　その点は有価証券の機能と関係するのです。復習ですが，有価証券の機能を一言でいって下さい。

N　それは権利の流通性を高めることにあります。そうすると，株主にその持株数に応じて新株引受権を与えた場合には，その流通性が問題になるのに対して，それ以外の場合にはそれが問題にならないということでしょうか。

T　たとえば，特定の者に対して新株引受権を与えたということは，その者

を株主とするという必要があるということですから，その新株引受権を流通させて，その者以外の者を株主としたのでは，その特定の者に新株引受権を与えた目的を達しないことになりますから，そのような場合には，新株引受権の流通性を予定していないということができます。

N　それでは，株主に対してその持株数に応じて新株引受権を与えた場合には，常にその流通性が予定されているのでしょうか。

T　それはいい質問です。M君，答えて下さい。

M　はい。株主に対してその持株数に応じて新株引受権を与えて新株を発行する場合――これを株主割当による新株発行ということがあります――に，その譲渡性が認められるかどうかは，定款で定められている場合にはそれにより，また定款で株主総会が決める旨が定められているときは株主総会の決議で決められますが，そうでない場合には，取締役会で決することになります（商280条ノ2第1項6号)。

N　そうすると，その場合には取締役会は新株引受権の譲渡性を認めるかどうかを自由に決められるわけですね。どうしてその譲渡性を保障しないのですか。

M　たしかに，新株引受権の譲渡が認められると，既存の株主としては，発行価額が時価より低く，したがって新株発行後の時価が下る場合でも，必ずしも，新たに資金を提供して新株引受権を行使することなく，新株引受権を譲渡して時価の値下りによる損失をカバーできて都合がよいのですが，会社側としても，既存の株主以外の者を株主として株式発行事務を進めることは都合が悪いという事情もありますので，その譲渡性を認めるかどうかは取締役会で決めることにしたのです。

N　わかりました。取締役会で新株引受権の譲渡性が認められた場合にだけ，新株引受権証書が発行されるわけですね。

M　原則としてはそうなのですが，既存の株主としては，自分で新株引受権を行使する場合には新株引受権証書の発行を受ける必要がありませんので，取締役会の決議で，株主の請求があるときにかぎり新株引受権証書を発行する旨を定めることができます（商280条ノ2第1項7号)。

★ *206*　(2) 有価証券としての性質，株券との比較，新株引受権の行使，証書喪失の場合の取扱い等

N　新株引受権証書は新株引受権を表章する有価証券だということはわかりましたが，その有価証券としての性質は，株券に準じて考えてよいのでしょうね。

T　その通りです。それは無記名証券で，新株引受権の譲渡はその交付によってなされ（商280条ノ6ノ3第1項），その善意取得も認められます（商280条ノ6ノ3第2項，小21条）。また，その要因証券性，非設権証券性，要式証券性等も株券と同じと考えてよいでしょう（⇨★ ***16*** 以下，***22***）。

M　新株引受権の行使——株式の申込——は，新株引受権証書が発行されている場合には，それによってなされることになります。

N　それが発行されないときは株式申込証により，それが発行されたときはそれによるということですね。

T　その通りです。ただ，新株引受権証書を喪失した場合には，特別の取扱いがなされます。M君，説明して下さい。

M　その場合には，喪失者は会社から株式申込証の交付を受け，それによって株式の申込をすることが認められます（商280条ノ6ノ4第2項本文）。

N　有価証券の喪失の場合の一般原則としては，公示催告手続による除権判決を得なければ権利を行使できないわけですが（⇨★ ***3***，***122*** 以下），新株引受権証書の喪失の場合には，そのような手続をとらなくても，それに結合している新株引受権を行使できるのですか。

M　そういうことです。公示催告手続をとっていたら，新株引受権の行使期間——申込期日（商280条ノ5第1項）——が過ぎてしまいますので，例外を認めたのです。

N　なるほど。しかし，そうすると，新株引受権証書は失権しないはずですから，その善意取得が認められるはずですが，その善意取得者が新株引受権証書により株式の申込をした場合には，喪失者の株式申込証による申込はどうなりますか。

M　その場合には，株式申込証による申込は効力を失い，新株引受権証書による申込が効力を有することになります（商280条ノ6ノ4第2項但書）。

N　わかりました。新株引受権証書を喪失した場合には，それを失権させるような手続は認められず，したがって，それが善意取得されて，新株引受権を行使された場合には，喪失者はあきらめるしかないわけですね。

T　その通りです。

★*207*　2　新株引受権証券――新株引受権付社債との関係――

T　これまで新株引受権証書について検討してきましたが，新株引受権証券というのがあることは知っていますか。

M　それは，昭和56年の商法改正の際に導入された新株引受権付社債の発行に伴って発行されるものです（商341条ノ13）。

N　はじめに，新株引受権付社債について説明して下さい。それは転換社債とは異なるものですか。

M　転換社債というのは，社債権者が一定の据置期間経過後の転換権を行使すると，社債が株式に転換されて，その社債自体は消滅するのに対して，新株引受権付社債の場合には，社債権者は一定の据置期間経過後に新株引受権を行使して株式を取得しますが，社債自体は消滅せずに従来通り存続するという点に差異があります。

N　そうすると，転換社債の場合には，社債の償還金に相当するものが株式の払込金に充てられることになるのでしょうが，新株引受権付社債の場合には，あらたに払込をすることになるのですか。

M　原則としてその通りです（商341条ノ16第1項）。ただ新株引受権は社債の場合にも，例外的にその償還に代えてその発行価額をもって払込があったものとする旨を定めることができます（商341条ノ8第2項6号）。

N　そうすると，新株引受権証券も，新株引受権を表章する有価証券であるという点では，前に論じた新株引受権証書と同じで，ただ，それは新株引受権付社債の発行に伴って発行されるものであるというところに特色があるといってよいわけですね。

T　その通りです。もっとも，新株引受権付社債を発行する場合に常に新株引受権証券が発行されるわけではなく，新株引受権を新株引受権付社債と分離してそれだけを譲渡することができるものと定められた場合――分離型の場合

——にのみ発行されます（商341条ノ8第2項5号・341条ノ13第1項）。

N　非分離型の場合には，新株引受権付社債それ自体が社債権だけでなく新株引受権も表章していると考えてよいわけですね。

T　その通りです。そこで，新株引受権証券と新株引受権証書とを比較すると，どういうことになりますか。

M　さっきN君がいったように，両者は新株引受権を表章する有価証券であるという点で共通しており，新株引受権の譲渡はその交付によってなされ（商341条ノ14第1項），また善意取得も認められるという点で共通しますが（商341条ノ14第2項，小21条），その喪失の場合について，株券の再発行に関する規定が準用され（商341条ノ14第2項・230条），公示催告手続により除権判決を得て再発行を受けることになっている点で前者は後者と異なります。

N　それはどうしてですか。

M　新株引受権付社債の場合には，その発行後一定の据置期間を経過した後に新株引受権の行使がなされ，またその行使にも相当の期間が保障されているからではないでしょうか。

T　そういうことですね。

★*208*　3　抵当証券

T　最後に抵当証券を簡単に取り上げましょう。これは商法で規定されているものではなく，抵当証券法という特別法で規制されているものですが，最近，実務上，盛んに利用されていますので，そのアウトラインをみてみましょう。それはどういうものですか。条文を見て答えて下さい。

(1)　抵当証券とは

N　その1条によると，抵当権者が登記所に抵当証券の交付を申請することができるとありますから，抵当権を表章する有価証券でしょうか。

M　しかし，抵当権者はその抵当権によって担保される債権の債権者になっているはずですから，抵当権だけが抵当証券に表章されているのではなく，その被担保債権も抵当権とともにそれに結合しているのではないでしょうか。

T　そういうことですね。被担保債権とはなされた抵当権だけが抵当証券によって譲渡されるというのはおかしいですからね。

N　わかりました。そうすると，被担保債権は，それまでは，普通の指名債権で，その譲渡の対抗要件として確定日付による譲渡の通知・承諾が必要だったのが，抵当証券に表章されると，その交付のみで，譲渡できることになるわけですね。

T　抵当証券は指図証券で，その譲渡には裏書が必要です（抵証15条1項）から，民法467条の適用がないことはN君のいう通りです。そこが有価証券に結合した場合のメリットであるわけです（⇨★ *6*）。

★ *209*　(2)　有因証券性と人的抗弁切断との関係

N　民法468条の抗弁の関係はどうなりますか。

T　その点が問題ですね。まず，抵当証券は指図証券ですから，民法のどの規定が適用されることになりますか。

M　民法472条です。それによると，指図債権の債務者は，その証書に記載した事項およびその証書の性質より当然に生ずる結果を除くほか，原債権者に対抗することができた事由をもって善意の譲受人に対抗できないということになっています。

T　そうですね。抵当証券法40条は，わざわざ民法472条を準用する旨を規定しております。

N　たとえば，抵当権設定契約がなんらかの理由で無効であったり，取り消されたりした場合に，債務者が抵当証券の善意の譲受人に抵当権の無効を主張できるかということが問題になると思いますが，この点はどうでしょうか。

T　まさにそれが問題ですね。それは，先ほどの民法472条の規定と関連させると，どういうことになりますか。

M　民法472条でいう「証書の性質より当然に生ずる」抗弁といえるかどうかの問題ではないでしょうか。

N　そうだとすると，抵当証券の場合には，抵当権設定の効力が生じていないのに，抵当証券が発行された場合にはその効力が生ずるというのも不都合だと考えられますから，それは「証書の性質より当然に生ずる」抗弁といえるのではないでしょうか。

M　私も同感です。抵当権設定の効力が生じていないことは物的抗弁となり（⇨★ ***82*** 以下），その意味では，抵当証券は無因証券ではなく，有因証券というほかないのではないでしょうか（⇨★ ***12*** 以下）。

N　Mさんのおっしゃる通りと考えますが，さっきから気になっていたのは，抵当証券法40条は，民法472条だけではなく，人的抗弁切断に関する手形法17条も準用していることです。この関係をどのように考えたらよいでしょうか。

T　よく気が付きましたね。それは，むずかしい問題ですが，民法472条にいう「証書の性質より当然に生ずる抗弁」は，さっきM君もいったように物的抗弁となると解するほかないわけですから，抵当証券法40条で準用される手形法17条が適用されるのは，それ以外の被担保債権に関する抗弁や相殺の抗弁（⇨★ ***87*** 以下）に関してだと解するほかないのではないでしょうか。

N　わかりました。

T　抵当証券は要式証券であり（抵証12条），喪失の際は公示催告手続により除権判決を得ることによって再交付がなされること（抵証21条2号）等は，他の有価証券と同じ取扱いが認められます。

第6章　株券等の保管振替制度

★210　1　本制度の目的

T　最後に，昭和59年に制定された「株券等の保管及び振替に関する法律」(以下，株券保管振替法と略称します) を取り上げましょう。それは，証券取引所に上場されている株券その他の有価証券等――株券が中心になりますので，以下には株券に限定して論じます――の保管および受渡の合理化を図って，その流通の円滑化に寄与することを目的として(株券保管振替1条)，制定されたものです。

N　有価証券制度自体が，これまで繰り返し論じてきたように，権利の流通性を高める機能があるわけですが，その有価証券について，さらにその流通の円滑化に寄与するというのはどういうことでしょうか。

T　それは面白い質問ですね。それについては，おそらく，次のように答えることができると思います。この制度で対象とされる有価証券というのは，上場有価証券または流通状況がこれに準ずるもの――店頭市場で取引されるものが中心になると考えられます――ということで，集団的に取引されるものであって，手形・小切手や船荷証券のように個別的に授受されるものではありません。そして，そのように集団的に取引される有価証券については，それが多量に授受される必要があり，また隔地者間で頻繁に授受することが必要なので，それが煩雑になってきたということから，本制度が考えられたのです。

N　有価証券の授受が煩雑になったので株券保管振替法が制定されたということですが，それはどういう仕組になっておりますか。

★211　2　本制度の仕組

T　この制度のもとでは，証券会社や銀行等――これらは本制度のもとでは「参加者」と呼ばれます (株券保管振替6条)――の顧客が参加者に預託している株券および参加者が自分で有する株券は，「保管振替機関」に預託されます (株券保管振替14条1項本文)。

M　民法658条1項によれば，受寄者は寄託者の承諾がなければ第三者に保管させることができないと規定されていますが，参加者が顧客から預託を受けた株券を保管振替機関に預託する場合には，その点はどうなりますか。

T　その場合には，もちろん顧客の承諾が必要です（株券保管振替14条1項但書）。また顧客の側が積極的にその預託した株券を保管振替機関に預託するように参加者に請求することも認められています（株券保管振替14条2項）。

N　保管振替機関というのは，どういうものですか。

T　それは民法34条に規定する公益法人として設立されたものであって，かつ主務大臣（大蔵大臣および法務大臣が主務大臣になります。株券保管振替41条）が保管振替事業を行う者として指定されたものをいいます（株券保管振替3条1項）。

N　そのように売買の対象になる株券を保管振替機関に集中してしまうということですが，株券の売買はどのようにしてやるのですか。

T　それは振替の方法によります（株券保管振替26条以下）。

N　もっと具体的に説明して下さい。

T　まず，参加者は，顧客から預託を受けると，その顧客のために口座を開設し，顧客口座簿を備えます（株券保管振替15条1項）。また保管振替機関も参加者の口座を開設し（株券保管振替6条1項），参加者口座簿を備えます。

M　その顧客口座簿および参加者口座簿には，それぞれ顧客または参加者が預託した株券の株式数が記載されるのですか。

T　その通りです。そしてまた，参加者口座簿には，参加者が顧客から預託を受けたもの――これを「顧客預託分」といいます――と，参加者が自己の有する株券を預託したもの――これを「参加者自己分」といいます――とに分けて記載がなされます。

N　だんだんわかってきました。株券の売買がなされた場合には，その売主の口座の株式数を減らして買主の口座の株式数をふやすということですね。

T　基本的にはその通りです。それでは，A証券会社の顧客aがB証券会社の顧客bに1,000株譲渡した場合に，それぞれの口座の記載がどのように変更されるか，説明して下さい。

N　それは，A証券会社の顧客口座簿上，aの口座から1,000株減らして，B証券会社の顧客口座簿上，bの口座に1,000株ふやす記載をするということではないですか。

M　それでは参加者口座簿の記載の変更がありませんから，だめだと思います。いまのN君のいったことに加えて，参加者口座簿上，A証券会社の口座から1,000株減らして，B証券会社の口座に1,000株ふやす記載をすることも必要ではないですか。

T　N君のいったことが必要なのはもちろんですが，いまのM君のいったことをさらに正確にいえば，A証券会社の顧客預託分から1,000株減らし，B証券会社の顧客預託分に1,000株ふやすという振替の記載をするということも必要だということですね。そして，売買が同じ参加者の顧客同士の場合には，その参加者の顧客口座簿の記載だけですみますが，いま問題にしたように，異なる参加者の顧客同士の売買の場合には，顧客口座簿の記載だけでなく，参加者口座簿の顧客預託分の記載の変更が必要になるわけです。

★*212*　3 法律構成

M　本制度の仕組はわかりましたが，どうしてそのような振替の記載によって株式譲渡の効力が生ずるのですか。

T　その点は，法律によって手当されております。本法27条2項はどのように規定していますか。

N　それは，「参加者口座簿及び顧客口座簿の振替の記載は，その記載に係る株式の数に応じた株式を譲渡し，又は質権の目的とする場合において株券の交付があったのと同一の効力を有する」と規定しています。

T　そうですね。その規定により，前述の例では，1,000株の株券が，aからA証券会社に，さらにA証券会社からB証券会社に，さらにB証券会社からbに交付したのと同一の効力があることになります。

M　なるほど，それで商法205条1項あるいは207条1項が規定している株式譲渡あるいは株式質設定の要件をみたすことになるわけですね。

N　そうすると，取得者に悪意・重過失がないかぎりは，商法229条，小切手法21条で規定する善意取得の要件をみたすことになりますね。

T　その通りです。さらにいえば，株券保管振替法27条1項は，「参加者口座簿又は顧客口座簿に記載された者は，その口座の株式の数に応じた株券の占有者とみなす」と規定していますので，その記載により商法207条2項の質権設定の第三者対抗要件がみたされることになります。

索　引

た　行

な 行

は 行

ま 行

や 行

ら 行

●**著者紹介**

前田　庸（まえだ　ひとし）

昭和6年生
昭和33年東京大学法学部卒業
現　在　学習院大学法学部教授

〈主要著書〉
銀行取引（弘文堂，昭和54年）
条解会社更生法（弘文堂，共著，昭和48年）
手形・小切手法を学ぶ（有斐閣，編著，昭和51年）
現代の経済構造と法（筑摩書房，共著，昭和50年）
注釈銀行取引約定書・当座勘定規定（有斐閣，共著，
　昭和54年）
手形法・小切手法入門（有斐閣，昭和58年）

有価証券法入門　<有斐閣ブックス>

昭和60年5月30日　初版第1刷発行
昭和62年9月20日　初版第4刷発行

著者　前田　庸
発行者　江草忠敬
発行所　株式会社 有斐閣
東京都千代田区神田神保町2～17
電話 東京（264）1311（大代表）
郵便番号〔101〕振替口座東京6―370番
京都支店〔606〕左京区田中門前町44

印刷　秀好堂印刷
製本　明泉堂製本

有価証券法入門（オンデマンド版）

2001年11月30日　発行

著　者　　前田　庸
発行者　　江草　忠敬
発行所　　株式会社有斐閣
〒101-0051　東京都千代田区神田神保町2-17
TEL03(3264)1314（編集）　03(3265)6811（営業）
URL http://www.yuhikaku.co.jp/

印刷・製本　　株式会社　デジタルパブリッシングサービス
〒162-0813　東京都新宿区東五軒町6-21
TEL03(5225)6061　FAX03(3266)9639

AA747

ISBN4-641-90189-9　Printed in Japan